LOS CINCO ELEMENTOS

LOS CINCO ELEMENTOS
Una cartilla de alfabetización ecológica

Yayo Herrero

A R C A D I A

Primera edición: octubre de 2021
Segunda impresión: febrero de 2022

Muntaner, 3, 1.º 1.ª
08011 – Barcelona
www.arcadia-editorial.com

Diseño de la cubierta: Víctor García Tur, a partir del diseño original
de Astrid Stavro/Atlas
Composición: LolaBooks
Impresión: Romanyà Valls

ISBN: 978-84-122735-9-5
DL: B-11.954-2021

Ya que hablamos de lo fundamental…
A Toño. Él ya sabe por qué.

Introducción.
En guerra contra la vida

Desde que se publicase, a comienzos de los setenta, el informe Meadows sobre los límites al crecimiento, la crisis ecosocial ha adquirido cotas dramáticas. Hoy nos enfrentamos a la desestabilización global de los ecosistemas y ciclos naturales y a sus consecuencias desastrosas para la vida, los territorios, el bienestar de partes crecientes de población humana y las condiciones de vida del resto del mundo vivo.

El funcionamiento del capitalismo mundializado está descuajaringando las reglas dinámicas que han organizado el mundo vivo durante miles de años. La economía, sin límites, digiere velozmente minerales, petróleo, ríos, animales y personas, excreta residuos que contaminan la tierra, el aire y el agua, abre fracturas violentas entre poblaciones cada vez más desiguales y expulsa jirones de vida.

Se ha sobrepasado el pico del petróleo convencional.[1] Las energías renovables, con tasas de retorno energético menores, y dependientes de minerales declinantes, no pueden sostener la dimensión de la economía actual, sobre todo si esos minerales son también demandados para electrificar el transporte y digitalizar y robotizar la economía.

Los países enriquecidos tienen huellas ecológicas que exceden sus territorios. Quienes están amparados por el poder económico, político y militar acaparan un «espacio vital» mayor del que les corresponde. El extractivismo y el cambio climático provocan expulsiones y migraciones forzosas que no han hecho más que empezar y que no son abordadas como problemas políticos, sino como problemas de seguridad. La población «sobrante» es presentada como una amenaza para tratar de justificar ética y políticamente su abandono.

La crisis del coronavirus ha puesto en evidencia la fragilidad del sistema económico capitalista. Para muchas personas esta constatación ha supuesto un verdadero *shock*. Otras pandemias, eventos climáticos extremos o grandes desastres han sido terribles, pero muchas las hemos vivido solo como espectadoras. A pesar de que la crisis de la covid-19 tiene muchos elementos comunes con otros conflictos ecosociales ya vividos, es la primera que hemos vivido toda la humanidad a la vez, la primera con repercusiones concretas en la vida cotidiana de todas y todos.

La emergencia sanitaria y sus consecuencias económicas se han sumado a lo que ya se arrastraba. El coronavirus nos ha sorprendido con unos servicios públicos desmantelados o inexistentes, una gran precariedad laboral, altas tasas de desempleo, elevadas cotas de violencia machista... Unas crisis se superponen a las otras, y las sociedades, lejos de buscar mayor resiliencia para afrontarlas, les hacen frente en condiciones cada vez más frágiles, injustas y violentas.

Para salir de este atolladero, situando como prioridad la sostenibilidad de vidas dignas, hay que afrontar dos grandes retos que en los imaginarios colectivos se perciben como antagónicos. El primero es la protección de todas las vidas. En términos humanos, eso supone pensar en la garantía de la vivienda, el suministro básico de energía, una alimentación suficiente y saludable, relaciones, cuidados o sentido de pertenencia a una comunidad. Se trata de asegurar un suelo mínimo de necesidades, lo que algunos movimientos sociales han denominado «plan de choque social». En segundo lugar, necesitamos recomponer metabolismos económicos y sociales que no sigan forzando la ruptura de un techo ecológico ya agrietado, sino que se centren en reducir la huella ecológica humana sobre la tierra, restauren en la medida de lo posible el funcionamiento de los ecosistemas y se acoplen a lo que es físicamente posible, de modo que la continuidad de la vida, no solo para los seres humanos sino también para el resto de seres vivos que habitan la Tierra, sea un proyecto viable.

Mientras escribo estas líneas se están produciendo importantes movimientos económicos para ver quién capta y rentabiliza las cantidades milmillonarias que la Unión Europea va a habilitar para la reconstrucción poscovid, unas cantidades que habrá que devolver y que exigirán «reformas». Dada la correlación de fuerzas actual, probablemente supondrán importantes recortes en derechos económicos y sociales y apuestas industriales que, más o menos pintadas de verde, sigan demoliendo los pilares materiales que sostienen las vidas. ¿Hasta cuándo se podrán seguir haciendo, cada quince o veinte años, inversiones absolutamente colosales para mantener un sistema que se hunde y no se sostiene? El reto está en asegurarse de que lo que hagamos a corto plazo no impida la consecución de objetivos razonables a medio plazo.

Toda esa inversión millonaria debería canalizarse a través de un sistema de indicadores multicriterio que integre el bienestar y la seguridad de los seres vivos y la necesidad de reducir drásticamente la huella ecológica global.

Sabemos que lo que evidencian los datos de la mejor ciencia disponible es que la reducción de la esfera material de la economía es simplemente un dato, no una opción. La economía decrecerá materialmente, sí o sí. El asunto es que lo haga dejando mucha gente atrás o a través de una transición justa que debe ser planificada y explicada.

Necesitaríamos que la economía y la política se centrasen en la resiliencia y la protección, que no están garantizadas si la prioridad es el crecimiento económico y los beneficios privados.

En este momento de crisis, con una situación urgente y cada vez más complicada, parece imposible que muchas personas puedan –podamos– ver más allá del capitalismo. Cuando tenemos que pensar en cómo ponerlo todo en marcha de nuevo y de la forma más rápida posible, lo único que se nos ocurre es la tríada ladrillo-turismo-automóvil, esta vez verdes o inteligentes. En contra de la mejor información científica disponible, una parte del poder político y económico sueña con el crecimiento verde, aunque carezca de respaldo empírico y suponga una apuesta por las falsas soluciones niegue la realidad e impulse un capitalismo del desastre.

El futuro inmediato se inscribe en la *era de las consecuencias*. Consecuencias de decenios de guerra contra la vida. Un futuro en el que los límites físicos, el cambio climático y las pandemias serán –son ya– la normalidad. Podemos querer no verlo, no mirarlo, pero la situación no es otra por ignorarla.

La cuestión es que, incluso en ese marco, es posible trabajar y cooperar para que todas y todos tengamos la posibilidad de disfrutar de vidas buenas y dignas. El gran reto será aprender a compartirlo casi todo bajo principios de suficiencia, reparto, cuidados y precaución.

La cultura occidental ha evolucionado los últimos siglos mirando a la tierra y a los cuerpos como si estuviera fuera y por encima de ellos. Nuestras economías han crecido divorciadas de la trama de la vida en la que, sin embargo, inexorablemente se inscriben. Ahora ya no hay atajos y necesitamos estimular formas de racionalidad que favorezcan relaciones de apoyo mutuo entre seres humanos, y con la tierra supone pensar en marcos alternativos, centrados en la reciprocidad, la democracia radical y la cooperación, que involucren a todas las personas, tanto en el terreno de los derechos como en el de las obligaciones. Si convenimos que necesitamos una identidad ecológica basada no en la enajenación del mundo natural (cuerpo y tierra), sino en la conexión con él, la apuesta sería reorientar el metabolismo social de forma que podamos esquivar –o al menos adaptarnos a– las consecuencias destructivas del modelo actual, tratando de evolucionar hacia una visión antropológica que sitúe los límites físicos naturales y humanos y la inmanencia como rasgos inherentes para la existencia de las personas. El difícil reto es conseguir que las personas deseen este cambio. Hay quien intenta trabajarlo desde el planteamiento de «todo lo que podemos ganar». Yo creo que se puede ganar mucho, pero también que es necesaria la conciencia de que junto a lo que debe ir a más, hay que tener en cuenta lo que debe ir a menos.

Resulta crucial desarrollar una identidad ecodependiente e interdependiente, una conciencia terrícola que permita que las personas sepan y sientan que son vida, agua, aire, tierra y fuego. Y que además es hermoso serlo. En nuestras latitudes, se trata de una tarea de pedagogía popular a realizar casi puerta a puerta con diferentes lenguajes. Para poder cambiar, necesitamos recuperar los mitos y ficciones, y componer otro relato cultural más armónico con la materialidad humana. Hace falta ciencia e información, pero también arte, poesía y pasión.

En este libro he querido compartir el sentimiento de pertenencia a la vida que me mueve en el trabajo activista. Para mí, unirme con otros y otras para conseguir mejores vidas para todas las personas no es algo diferente a luchar para que el aire que respiramos o el agua que bebemos estén limpios; no es diferente a conseguir que las vidas de los animales sean respetadas, que los suelos estén protegidos o que el futuro sea algo que se pueda mirar sin miedo. Para mí, el conflicto de clase tiene que estar conectado con la materialidad de la tierra y de los cuerpos.

La conciencia de ser vida, en nuestro caso animal, es uno de los primeros pasos para repensar el mundo en clave ecosocial. Nos referimos a entender, valorar y querer las diferentes formas de vida y reconocernos como partes de una red formada por tierra, plantas, bacterias y luz.

Necesitamos la utopía. Ya tenemos una ración suficiente y necesaria de distopía para darnos cuenta de dónde estamos. Ahora tenemos que centrarnos en la configuración de utopías cotidianas para intentar que nuestros horizontes de deseo sean compatibles con los límites físicos del planeta y la justicia.

La mutilación de la imaginación es un enorme escollo para que nazca la utopía. En *La gran transformación*, Karl Polanyi dijo que el capitalismo desregulado corría el riesgo de transformarse en un fundamentalismo religioso. Creo que una buena parte de la sociedad ha interiorizado un dogma peligroso: el de que merece la pena sacrificarlo todo con tal de que la economía crezca. Desde esa perspectiva, es difícil imaginar una forma diferente de vivir juntas.

Por eso he intentado recordar dónde está lo que no puede faltar. El agua, la tierra fértil, el fuego, el aire, la trama que sostiene la vida. Esas son las cuestiones de las que no podemos escapar y que quedan ocultas y orilladas, cuando lo que se coloca en el altar es el dinero.

Esta pretende ser una pequeña contribución, una especie de cartilla de alfabetización ecológica para recuperar la memoria de lo que somos y de dónde venimos. Espero que haciéndonos fuertes en esa memoria sentida y viva podamos encontrar la fuerza para hacernos cargo del mundo.

I
Agua

Somos agua. El 83 % de nuestro cerebro, el 75 % del corazón, el 85 % de los pulmones y el 95 % de los ojos son agua. Si nos escurren, después de eliminar el agua, queda bien poco. Así visto, podríamos decir que nuestra mirada, pensamiento, respiración y latidos dependen del agua. El 71 % del planeta Tierra está cubierto de agua. Solo un 2 % de ella es agua dulce y la mitad está accesible, la otra mitad está retenida dentro de los glaciares.

La cantidad de agua que hay hoy en la Tierra es la misma que había en el año 1800, pero la población humana ha pasado de los mil millones de personas que había en aquel momento a más de 7700 millones en la actualidad y con unos estilos de vida, sobre todo en los países más enriquecidos, mucho más consumidores de agua.

Nadie fabrica el agua. Ninguna economía ni tecnología producen agua. Es la propia dinámica autoorganizada de la naturaleza la que se encarga de regenerarla. Lo que a veces se denomina, de forma un tanto engañosa, producción de agua es, en todo caso, su tratamiento químico para potabilizarla o embotellarla y transportarla.

El Sol calienta la Tierra y su calor evapora el agua del mar, de los ríos, mares y pantanos. Derrite los hielos que pasan a ser agua líquida, que, después, también se transforma en gas y se evapora. El agua evaporada se condensa formando nubes, que no son más que gotas de agua suspendidas que pueden volver a la tierra en forma de lluvia, granizo o nieve. El agua no vuelve al mismo sitio porque el viento hace viajar a las nubes y por tanto el agua cae en cualquier otro lugar.

Al caer, se volverá a filtrar en la tierra y acabará de nuevo en ríos, mares o lagos; formará parte de cuerpos vegetales, de animales, de hongos... Este proceso se repite en innumerables ocasiones. Esa repetición sucesiva se llama ciclo del agua. Es posible que el agua que hoy compone en un 95 % nuestro ojo o en un 85 % nuestro pulmón sea la misma que beberá alguna tataranieta dentro de muchos años.

Ninguna sociedad, ningún ser vivo, perdura sin agua. Todas las grandes civilizaciones nacieron a la orilla de ríos o de grandes lagos. La mayor o menor disponibilidad de agua ha definido y modelado culturas.

No solo usamos el agua para beber. Esta es en realidad una necesidad muy pequeña. De los alimentos a la ropa, de la energía al papel, del turismo al transporte, de las medicinas a los refrescos, del cemento a las acuarelas... todos los bienes y servicios que utilizamos necesitan agua.

El agua es finita. Es verdad que es un bien renovable, pero no se renueva a la velocidad que le gustaría al metabolismo agrourbano-industrial, sino que se regenera a la velocidad del ciclo del agua, que tiene un ritmo muy diferente al del proceso económico. El resultado del choque entre los tiempos de los ciclos que sostienen la vida –como el ciclo del agua–, y los tiempos de la economía convencional, es lo que llamamos crisis ecológica.

Soy consciente de que hasta aquí no he dicho más que perogrulladas. Esto es lo que estudiamos en el colegio en los primeros cursos de primaria. Y si es tan obvio, ¿por qué la economía y la vida de muchas personas se ha construido como si no existiese este ciclo, como si el agua fuese ilimitada, como si acceder a ella no fuese algo básico para la seguridad y la supervivencia de las personas y de todos los seres vivos?

El proceso de «desarrollo» y el crecimiento económico se correlacionan con un fuerte incremento en el uso de agua, con la pérdida de sus fuentes y con el deterioro de su calidad. El consumo de agua en el mundo crece más rápido que la población.

El cambio climático está alterando profundamente el ciclo del agua y agrava la situación. El agua del mar se calienta, los hielos de los polos se derriten, el nivel del mar aumenta, los acuíferos subterráneos se empobrecen, los ríos y lagos se secan más, cambian los ritmos de las precipitaciones, se agudizan las sequías, se modifican la disponibilidad y temperatura de las aguas y se alteran el estado de los hábitats de agua dulce y la vida de las especies que viven en ellos, también la de los seres humanos. Va a llover menos en muchos lugares del mundo y la disponibilidad de agua dulce también se ve afectada.

¿Cómo puede ser que hayamos llamado progreso a un proceso que hace que el agua, inicialmente abundante, se vuelva escasa debido a su uso imprudente, descuidado, despilfarrador e irracional? ¿Qué es lo que hace que teniendo delante de los ojos el declive y contaminación masiva de las fuentes de agua potable no se planifique u organice la economía con conciencia de la dependencia del agua?

Cementerios de barcos y expulsiones de personas

A mediados de febrero de 2021, la sonda Perseverance amartizó en el cráter Jezero. Nos cuentan que ese cráter estuvo ocupado hace cuatro mil años por un gran lago. Lo que vemos ahora es un terreno pelado y rojo en el que se investiga si hay restos de vida.

En la Tierra, la NASA también ha fotografiado restos de lagos que existieron en un pasado mucho más reciente. En los últimos setenta años, algunos de los lagos y ríos más grandes de la Tierra se han evaporado.

El desarrollo se los bebió y ahora son cementerios de barcos.

En la década de 1960, se inició en la Unión Soviética un proceso de extracción masiva de agua del Mar de Aral que terminó provocando su práctica desaparición. Los dos grandes ríos que alimentaban aquel lago gigantesco fueron desviados para regar los monocultivos de algodón sembrados en las áridas llanuras de Kazajstán, Uzbekistán y Turkmenistán. Dicen que los ingenieros soviéticos eran conscientes de que el mar iría desapareciendo conforme el agua se fuera drenando rumbo a los campos. No les preocupaba, porque creían que aquel inmenso lago era «un error de la naturaleza».

La degradación comenzó en los años setenta del siglo pasado. Desaparecieron las cincuenta mil toneladas de pescado que se capturaban en los años cincuenta y hoy ya no hay pesca en la zona. Resulta que aquel error de la naturaleza regulaba la temperatura de los alrededores. Hoy, desprovistas de esa protección, las ciudades anteriormente costeras se han convertido en entornos muy hostiles, muy fríos en invierno y extremadamente calurosos en verano. Las tormentas de arena dispersan millones de toneladas de sal en los campos de alrededor dejándolos yermos e incultivables. En el año 2000 el lago ya se había dividido en dos partes que continuaron desecándose. Hoy, desde el aire, apenas se ve un pequeño charco verdoso. Miles de personas se han visto obligadas a desplazarse y abandonar el territorio. Quienes aún permanecen, sufren la escasez de agua dulce y la pobreza. Fue uno de los lagos más grandes del mundo.

El río Colorado, que surte de agua de boca a cuarenta millones de personas, riega 16 000 kilómetros cuadrados de cultivos, genera 4 200 megavatios de energía, mantiene once parques naturales y siete reservas de animales salvajes en Arizona, California, Colorado, Nuevo México, Nevada, Utah y Wyoming, así como en parte del territorio de México. Sobre su cuenca se han erigido moles como Las Vegas y otros grandes centros vacacionales. Un modelo de desarrollo que tenía fecha de caducidad: la de la disponibilidad de agua. El cambio climático ha sido la puntilla. Desde hace veinte años su cuenca se encuentra en una situación de sequía técnica y el nivel del agua baja de forma alarmante. Se sabía que en algún momento el río no daría abasto pero siempre se quería más. Más.

Se sabe que dentro de poco la generación de energía en el Colorado será imposible y que una buena parte de la actividad económica actual no podrá sostenerse. Solo muy recientemente, en 2019, los siete estados que beben de él se comprometieron a reducir el consumo de agua. Será un buen escenario en el que ver cómo cuarenta millones de personas se adaptan al cambio climático. Es el decrecimiento forzoso.

El lago Poopó en Bolivia también desapareció. Las poblaciones indígenas que viven cerca de él recuerdan las plantas de totora, los peces y los flamencos que en otro tiempo vivieron allí. Antes plantaban quinua, pero ahora todo se ha secado y la tierra ya no produce.

El lago fue dañado por los desvíos de los ríos que desaguaban en él. Se canalizó el agua para el riego y la minería. No faltaron las voces de alarma que, en los años ochenta lanzaron advertencias, pero eso no impidió que incluso se ampliase la utilización del agua. El agua que le queda se asienta sobre sedimentos de grandes cantidades de cadmio, zinc, arsénico y plomo procedentes de la actividad extractiva. No es, por tanto, apta para el consumo humano o el de animales y tampoco es adecuada para regar los cultivos.

Con el agua se evaporaron el sustento, las formas de vida y la posibilidad de mantener la cultura. Es un tipo de desposesión que afecta a quienes viven en sus alrededores, especialmente a las mujeres, que se han ocupado tradicionalmente del pastoreo, de la preparación de alimentos y del abastecimiento de agua.

El lago Chad, situado en la frontera entre Chad, Níger, Nigeria y Camerún, tenía unos 25 000 km^2 en 1963. En 2001 su superficie es de solo 1 350 km^2. Desde entonces ha continuado menguando y se cree que desaparecerá antes de llegar a la mitad del siglo XXI. De nuevo las canalizaciones de agua para el regadío, tanto del propio lago como del río que lo nutre, y el avance del desierto provocado por el cambio climático son las principales causas. También en este caso, las comunidades que han vivido históricamente allí se ven expulsadas.

Desmesura hídrica intramuros

En 2015, Ecologistas en Acción llevó a la Conferencia de las Naciones Unidas sobre el Cambio Climático, celebrada en París, un informe demoledor sobre la situación del agua en España.[2] En él se alertaba sobre los escenarios que se proyectaban en un futuro próximo si no se hacía nada. España tiene ahora un 20 % menos de agua disponible que hace treinta años y, sin embargo, ha incrementado un 20 % las tierras de regadío en los dieciocho últimos años. Eso si hablamos del regadío legal, porque hay miles de hectáreas de regadío que son ilegales y que absorben aguas subterráneas de pozos que se secan a gran velocidad.

Por no hablar de la apropiación de agua que ha supuesto el modelo ladrillero nacional, que algunos denominaron desarrollo, y que estimuló la construcción de cientos de urbanizaciones con campos de golf –que consumen ingentes cantidades de agua– en verdaderos secarrales o en zonas inundables.

JUNTAS SÍ QUE PODEMOS

Ecologistas en Acción es una confederación de grupos ecologistas del Estado español. Se formó en diciembre de 1998. Ecologistas de diversos territorios soñaron con la posibilidad de conformar un espacio político que uniese a la mayor parte posible de los grupos dispersos que existían en el territorio, con el fin de hacer piña y generar un movimiento más fuerte.

No fue fácil, pero al final se consensuaron unos principios ideológicos y un programa alrededor de los que se unieron diversos grupos. Había grupos de todo tipo: rurales y urbanos, insulares y peninsulares, conservacionistas y anticapitalistas, compuestos por un número pequeño de personas y otros más numerosos, se hablaban las diferentes lenguas del Estado y convivían identidades nacionales distintas...

Los principios no fueron sencillos. Una vez anunciada la existencia de la confederación empezó lo complejo, aprender a convivir, a discutir, a gestionar la diferencia. Con el tiempo, fuimos aprendiendo y, sobre todo, sintiendo, lo importante que es caminar a la par. Fuimos aprendiendo que desarrollar sentido y orgullo de pertenencia a Ecologistas en Acción no implicaba perder los vínculos y anclajes con nuestros grupos locales, que se puede querer lo grande y lo pequeño a la vez, que no hay necesidad de elegir.

Ecologistas en Acción es mi casa. Es en donde más he aprendido, seguramente en donde más he trabajado. Allí fue donde sentí que nunca más estaría sola, donde aprendí a transformar el miedo en creatividad, la incertidumbre en organización. Mi miedo en valor colectivo.

Es verdad que hoy seguimos invirtiendo mucha energía para seguir juntos porque los conflictos y lo cutre surgen con frecuencia. Es cansado, porque mantener en pie lo creado es mucho más laborioso que crear. Son tareas de Sísifo, cíclicas, recurrentes, menos brillantes y visibles pero imprescindibles, como el propio trabajo de cuidado en las casas. Pero es así como se mantiene lo que está vivo. Sin un flujo constante de energía, no hay vida, y tampoco hay construcción y lucha en común.

La clave es confiar en lo colectivo. Confiar en que no todas las personas vamos a caer en el desánimo o en lo feo a la vez y que, cuando lo hagamos, estarán allí otros compañeros y compañeras para salvarnos de nosotras mismas, para encauzar el debate político y disolver, sin hacerlos invisibles, los dolores y pulsiones personales que lo acompañan. Estamos aprendiendo a reconocer y a tratar de curar heridas, pedir perdón y perdonar, formarnos para construir alternativa.

En Ecologistas en Acción he aprendido a hacer una renuncia activa a la política de la humillación. Humillas cuando ninguneas, insultas, agredes, cuando quieres exigir que la gente renuncie a sus convicciones y trayectorias vitales y acate decisiones no explicadas ni debatidas; humillas cuando desprecias el exceso de memoria o la falta de experiencia; humillas cuando engañas o incumples compromisos.

Quiero reivindicar el estudio y el trabajo, la lealtad, el diálogo, la escucha de verdad, la construcción colectiva, la fiesta y el amor político como valores básicos para construir un movimiento fuerte y potente, capaz de hacer frente, sin dejarse apresar por la tristeza y la impotencia, a la conciencia del colapso socioeconómico y ecológico que ya estamos viviendo; capaz de desenmascarar y encarar las migraciones forzosas y la expulsión, la precariedad ya estructural y creciente, el odio y la violencia en sus diferentes manifestaciones.

Siempre me ha parecido que es una experiencia que merece la pena compartir. Tengo la certeza de que, en estos tiempos de emergencias, la política exige sacar lo mejor de cada una de nosotras y lo mejor solo sale cuando el espacio común te obliga a sacarlo.

La península ibérica es uno de los lugares más afectados por el cambio climático en Europa. Muchos ambientes acuáticos que antes eran permanentes se secarán temporalmente. El agua subterránea se reducirá en todo el mundo y de ella dependen muchos ríos y lagos, además de ser la fuente de la que beben muchas personas en pueblos y ciudades. Doñana, las Tablas de Daimiel o la albufera de Valencia recibirán menos agua, a la vez que, sin embargo, aumentan los regadíos o las urbanizaciones demandantes de agua a su alrededor. La situación en las Islas Canarias, que ya dependen del agua transportada en barcos, es dramática. En sitios como el delta del Ebro, que ya estaba muy afectado por la falta de llegada de sedimentos a causa de la construcción de presas y embalses, la subida del nivel del mar y la llegada de borrascas, como Gloria en 2020, están impidiendo la vida y los cultivos en zonas que durante miles de años han estado habitadas. Se hacen desaparecer territorios en los que se ha sostenido la vida durante mucho tiempo.

Al haber menos agua, la contaminación se concentra mucho más: contaminación por nitrógeno, fósforo, materia orgánica y metales pesados que, básicamente, terminan generando muerte. No hay más que recordar las oleadas de peces agonizantes en las orillas del Mar Menor en Murcia, y el agua putrefacta en un territorio que depende del turismo.

Olas muertas en el Mar Menor

En octubre de 2019 una ola de peces, anguilas, crustáceos y moluscos muertos aparecieron de forma súbita en las playas del Mar Menor. De repente, los medios de comunicación al unísono hablaban de una situación de emergencia.

Emergencia climática, emergencia social, emergencia sanitaria, emergencia migratoria, emergencia energética, emergencia hídrica, emergencia en el Mar Menor... En casi todos los ámbitos importantes de la existencia, en lo lejano y en lo cercano, nos encontramos en una situación de emergencia.

Las emergencias actuales no son inesperadas ni fruto de la sorpresa. Los procesos que han conducido a ellas han sucedido a plena luz. Fueron y son retransmitidos en televisión. Son consecuencias, evitables por advertidas, de opciones que no han sido tomadas por todo el mundo y que han sido toleradas de forma mayoritaria.

Las emergencias que nos agobian son el resultado, diría yo que inevitable, de un gobierno de las cosas despegado de la tierra y de los cuerpos, que se orienta por el cálculo y la maximización de beneficios y que borra cualquier posibilidad de organizar la vida en común de forma cuidada, protectora, precavida o cautelosa.

De las imágenes del Mar Menor lo que más me impresiona es ver esos peces plateados que, desahuciados, usan sus últimas bocanadas de aire para saltar del mar a la tierra, es decir, hacia la muerte. Me recordaba a las personas que, sin agua y sin comida, siendo conscientes de que su barcaza se desintegra, con sus últimas energías saltan al agua, hacia la muerte, con nulas posibilidades de llegar a tierra, pero con la pulsión de hacer algo. Esa pulsión la vimos en las personas que se tiraban de las Torres Gemelas, saltando, también, hacia la muerte desde la misma muerte.

El capitalismo y la política que lo apuntala obligan a las vidas más desprotegidas y precarias a saltar hacia la violencia o la muerte. Han apostatado de la vida digna para todas.

En una situación de riesgo vital cada vez mayor nos vemos obligadas a optar, como siempre, entre el acelerador y el freno, ahora ya de emergencia. No hay forma de abordar las urgencias desde el cuidado y la precaución si el horizonte de la economía es la cuenta de resultados, y el de la política es lo que pronostica la próxima encuesta.

Televisar los peces muertos del Mar Menor, los africanos encaramados en la valla de Melilla o los contenedores ardiendo en Barcelona sin contar cómo hemos llegado allí ni mostrar la desobediencia y las resistencias creativas a contracorriente es naturalizar la necropolítica. No vale presentarlos como borbotones inesperados de desgracia que podemos calmar con las mismas herramientas que los causaron. Estoy harta de que haya tantas personas obligadas a vivir en la cornisa, como decía Gemma Barricarte,[3] una joven activista de Fridays for Future Barcelona, y de que la única opción que se les deje sea saltar al abismo o matarse entre ellas.

En ecología de sistemas, emergencia tiene una segunda acepción. Las emergencias son propiedades, condiciones nuevas que *emergen* de la organización de los sistemas vivos. ¿Hay condiciones para que emerja un movimiento alrededor del cuidado, el freno, la precaución, la contención, el diálogo, la desobediencia, el reparto y la justicia?

Una investigación de Maria J. Stephan y Érica Chenoweth[4] sobre las capacidades de la movilización ciudadana concluye que es raro el fracaso de una acción colectiva que haya logrado involucrar en sus picos de movilización a un 3,5 % de la población, y que incluso muchas han alcanzado sus objetivos con volúmenes de población más bajos. No parece demasiado, pero en nuestra geografía esto se traduce en movilizar en torno a cerca de dos millones de personas.

Estoy dispuesta. Y sé de mucha gente que también lo está. No voy a dejar a mi hija en la cornisa, ni a las de otras.

El uso irracional del agua, las actuaciones que no miran alrededor y se preguntan si hay o no suficiente agua para llevarlas a cabo o qué consecuencias puede tener el ponerlas en marcha son, para mí, una de las muestras más evidentes de la ausencia de cautela y cuidado por el conjunto de todo lo vivo.

Somos agua, pero nos es arrebatada

Más de 2 100 millones de personas en todo el mundo no tienen acceso a agua potable segura y 4 500 millones no disponen de red de saneamiento adecuada. Según el informe anual de la FAO de 2020, el agua dulce disponible por persona ha disminuido más de un 20 % en las últimas dos décadas, más de 3 000 millones de personas viven en áreas agrícolas con gran escasez de agua. En América Latina, el agua por persona ha disminuido un 22 %, en el sur de Asia un 27 % y en África subsahariana un 41 %. Los biocombustibles requieren de setenta a cuatrocientas veces más agua que los combustibles fósiles a los que reemplazan. Cuando durante más de un año hemos escuchado machaconamente las indicaciones sobre cómo lavarnos correctamente las manos para evitar los contagios por coronavirus, dos de cada cinco personas no disponen de una instalación básica para lavarse las manos con agua y jabón, según Naciones Unidas. Entre otras, las temporeras del campo que recogen frutos rojos en el sur de España en condiciones de terrible explotación.

A la vez, en diciembre de 2020 leímos en las noticias que los mercados de futuro del agua iban a comenzar a cotizar en las bolsas de Estados Unidos. El agua ya estaba privatizada y su precio se regulaba en bolsa, pero las nuevas herramientas financieras permitirán acceder a este mercado a nuevos inversores. Presionando un botón en un ordenador aparece la posibilidad de comprar el agua del futuro. BlackRock, la mayor gestora de fondos del mundo, ya tiene productos de inversión basados en el agua. Los fondos de Arabia Saudí o Qatar nadan en petróleo, pero también invierten en renovables en medio mundo y ahora tienen la posibilidad de hacerlo en agua.

Entre las causas estructurales del declive del agua están los delirios tecnoutópicos, el ecocidio, los conflictos ecológico-distributivos, el acaparamiento de bienes comunes y las lógicas de acumulación por desposesión, pero, sobre todo, está la incapacidad de nuestra cultura para *sentir* hasta qué punto somos agua.

Miles de personas que trabajan temporalmente en la recolección de frutos rojos en Huelva viven en chabolas fabricadas con palés, cartones y plásticos, y no tienen acceso al agua. Sabemos de los largos y peligrosos recorridos que realizan, mayoritariamente mujeres en asentamientos del Sur Global, para proveerse de agua. Recogen en condiciones de semiesclavitud la fruta y verdura que acabará en las mesas europeas y en plena pandemia no han tenido agua ni para lavarse las manos. El agua escasa engorda las hortalizas que van a la exportación, pero quienes las recolectan no tienen derecho a ella.

El oro rojo

En la primera mitad de 2018, trabajadoras temporeras de la recolección de la fresa en Huelva denunciaron abusos sexuales y amenazas por parte empleadores o capataces. No era la primera vez que la situación de las jornaleras migrantes llegaba a las páginas de los periódicos. En 2010, un artículo titulado «Víctimas del oro rojo», publicado en el diario *El País*, señalaba que los abusos sexuales a las trabajadoras eran «un secreto a voces», pero constataba que «hasta ese momento, nunca habían prosperado las denuncias contra los responsables de una actividad competitiva en Europa».[5]

Yo había sido testigo del negacionismo sobre la situación de las trabajadoras. Años atrás, cuando era cocoordinadora de Ecologistas en Acción, había asistido a una reunión con representantes de organizaciones agrarias, sindicatos, movimiento ecologista y la administración en la que expuse que las mujeres temporeras trabajaban en condiciones de semiesclavitud. Dije que eran precarias, trabajaban a destajo y cobraban poco. Tan poco que muchas trabajaban con pañal porque no querían parar ni para orinar. El representante de la mayor organización agraria exigió muy airado que me retractase y algunos de los sindicatos presentes me reconvinieron amable pero firmemente diciendo que no les constaba lo que decía y que, si eso era verdad, lo que tenían que hacer las jornaleras era denunciar.

¿Por qué la negación? ¿Por qué esa resistencia a investigar? ¿A estas alturas alguien tiene dudas de que es perfectamente probable que trabajadoras extranjeras, solas y pobres, incluso aisladas físicamente, viviendo en las fincas, entre los invernaderos, corren el riesgo de sufrir abusos sexuales? ¿No es un hecho evidente y real que todos los jornaleros migrantes, hombres y mujeres, están mal pagados, son explotados, y que de forma reiterada han surgido conflictos?

Cien gramos de fresas proporcionan cuarenta y seis calorías. Cuarenta y seis de las dos mil calorías diarias que debe comer una persona adulta. Esa es su función social, esa es su verdadera utilidad en términos de producción. Pero para la economía, para «el sector», las fresas, los alimentos, no son tan importantes por las necesidades humanas vitales que satisfacen, sino por los beneficios económicos que generan. «La buena producción» es la que consigue una alta rentabilidad económica abaratando los costes de producción (trabajo e insumos). Tal y como señala Gustavo Duch, «el sistema en cuestión ha sido diseñado para producir algo parecido a alimentos, a costes muy bajos, tanto económicos, sociales como ecológicos; pero que puedan producir altos beneficios a quienes se dedican a su comercialización. Los alimentos, lejos de ser considerados como una necesidad y un derecho, se entienden como una mercancía sin más».[6]

Decían: «Ojo, que se puede poner en riesgo un sector que factura casi trescientos millones de euros».

Desde mi punto de vista, la situación de las jornaleras marroquíes no constituye una mala práctica aislada y puntual. No es un fallo del sistema. Es el sistema en estado puro.

Escondidas, debajo del brillo de las cifras y los beneficios del sector, están las consecuencias ecológicas y sociales de esta forma de producir. La lógica de la producción capitalista se apuntala sobre cimientos injustos, patriarcales, ecocidas y coloniales. Todas estas contradicciones se encuentran en el conflicto de las temporeras de la fresa.

Quienes contratan creen que las mujeres dan menos problemas. Para no decir que son menos conflictivas, se argumenta «científicamente»: las mujeres son más aptas para la recogida de la fresa porque «tienen los dedos más delicados» –como si los hombres tuviesen dificultades congénitas para ejercer la función prensil sin espachurrar la fresa– y presentan una morfología que las capacita genéticamente para estar más tiempo inclinadas, recolectando.

El patriarcado, otra vez más, se alía con el capitalismo. Se contrata a mujeres pobres, jóvenes, que no estén obesas, preferentemente casadas y que tengan hijos a su cargo, menores de catorce años, para asegurar que vuelven a sus países. Ellas, *naturalmente*, vuelven a casa si dejaron allí a seres vulnerables de los que hacerse cargo.

Parece ser que no es tan seguro que ellos lo hagan. Y una vez aquí, solas, sin conocer el idioma, en entornos profundamente machistas, trabajan a destajo y en condiciones duras por un jornal de mierda. En ocasiones, acosadas por «manijeros» y empleadores que amenazan con apuntar menos kilos de los que recogen y despedirlas si no consienten en ser manoseadas y abusadas. «O te dejas o te quedas sin fresas».

El capital las ve como un recurso explotable, sumiso y nada sospechoso de pretender quedarse en España por tener responsabilidades de cuidados.

Quizás por eso hay tantas resistencias a investigar y denunciar. Con la prioridad puesta en los beneficios, todo merece la pena ser sacrificado con tal de que el sector se mantenga y crezca.

Recientemente se ha producido el acercamiento entre las jornaleras de la zona españolas y las marroquíes. Juntas han generado un movimiento, Jornaleras de Huelva en Lucha que reivindica los derechos de todas, que se organiza para conseguirlos y que están sumando a su alrededor el apoyo de colectivos feministas y ecologistas entre otros. Hasta para poder denunciar hace falta una comunidad que te sostenga y te apoye.

Ellas comenzaron gritando «no bien, no bien» ante sus contratadores. Las jornaleras en lucha no son sumisas ni dóciles.

En todo el mundo se producen guerras por el agua y muchos pueblos resisten para defenderla. A comienzos del 2000, bajo la presión del Banco Mundial, Hugo Banzer, presidente de Bolivia, firmó un contrato con la trasnacional estadounidense Bechtel por el que se privatizaba el servicio de suministro de agua a Cochabamba. El contrato fue adjudicado a un consorcio formado por Bechtel y otras empresas –entre ellas Abengoa–. Poco después se produjo un enorme aumento de las tarifas del agua que levantó protestas masivas. Hubo gente que tuvo que sacar a sus hijos e hijas de los colegios y dejó de ir al médico para poder pagar el agua. La enorme represión desplegada no consiguió sofocar la revuelta y finalmente el Gobierno rescindió el contrato. Bechtel denunció y reclamó indemnizaciones millonarias, pero se vio obligada a renunciar a causa de la movilización dentro del país y la solidaridad y denuncia internacional. Antidesarrollistas, indias, ignorantes, zorras... Así se llamaba a quienes resistían. Pero al final ganaron y el agua continuó siendo un bien común. El documental *La corporación. ¿Instituciones o psicópatas?*, dirigido por Mark Achbar, Jennifer Abbott y Joel Bakan en 2004, y la película *También la lluvia*, dirigida por Itziar Bollaín en 2010, dan testimonio de aquel proceso.

En el momento actual, las luchas en defensa del agua se multiplican. Por ejemplo, en Chile, en el Cajón del Maipo, en la región metropolitana de Santiago, la capital, se vive un fenómeno similar. El agua está privatizada, no solo la red o el servicio de abastecimiento, sino la propia fuente. Pertenece a Aguas Andinas, que a su vez es de Aguas de Barcelona. Aguas Andinas tiene la potestad de hacer lo que quiera con ella y ahora se plantea venderla a una planta estadounidense de generación hidroeléctrica, que fue ampliada sabiendo que no había suficiente agua para materializarlo. Se pone en riesgo el abastecimiento de agua potable de consumo doméstico a Santiago de Chile, además de destrozar un ecosistema ya muy afectado por el cambio climático. Diversas organizaciones llevan años resistiendo. Entre ellas Mujeres por el Maipo. «Váyanse a cocinar», «vayan a cuidar a sus hijos y a dar de comer al marido», perras, golfas, putas son los calificativos que reciben. Ellas se tumban en el suelo, hacen mandalas con sus cuerpos e impiden la entrada de los camiones. «Montamos unos tacos –así se llaman en Chile los atascos– del carajo», se enorgullecen. Así llevan desde 2007. Y no paran.

El Gobierno de la Comunidad de Madrid desde 2008 ha intentado vender el 49 % del Canal de Isabel II. Bancos, fondos de inversión de diversas nacionalidades, empresas de agua españolas estaban deseosas de participar en el proceso. BBVA, Tinsa, Rothschild y Cuatrecasas trabajaron en el estudio de la operación. En 2012, el 4 de marzo, la Marea Azul, en la que Ladislao Martínez jugó un papel fundamental, organizó un referéndum popular en el que se consultaba sobre la privatización del agua. Más de ciento sesenta mil personas participaron en él. Ese mismo día, el diario *El Mundo* sacó un artículo infame en el que se acusaba absurdamente a Ladis de ser un terrateniente. En la primera versión del mismo se daban incluso datos personales como su domicilio. La reacción de apoyo hacia el activista fue tremenda y el acoso no fue mucho más allá.

En todas partes, los intentos de privatizar y acaparar el agua son constantes. Imaginaos, somos agua, nuestra economía es agua y es finita. Adueñarse de las fuentes, de la distribución, de la depuración o el saneamiento es negocio seguro. La situación es insostenible y de no hacer nada avanzaremos hacia un colapso hídrico, que en nuestro país muy posiblemente tenga lugar cuando llegue la próxima sequía plurianual.

Luego, trataremos la crisis como si fuese un problema sobrevenido, inesperado. Miraremos al cielo preguntándonos por qué no llueve o perforaremos más profundo intentando exprimir lo que quede. Pero es un problema político, es un problema de escala, es un problema de límites. Es un problema de diálogo, de búsqueda de consensos, de pensar en las necesidades y en cómo satisfacerlas de forma justa.

Cuidar y defender al agua es defendernos a nosotras mismas. Hacernos conscientes de en qué medida somos agua y cuál es el papel del agua en la creación de comunidades humanas, en la geopolítica o en la economía. Conocer los recorridos atmosféricos, superficiales y subterráneos de las aguas y su ciclo; saber cómo afecta ya el cambio climático. Detener los procesos de contaminación. Asegurar el acceso al agua de los seres vivos. Planificar la escala de los distintos sectores en función de las necesidades que hay que satisfacer y el agua realmente existente. Garantizar el tratamiento del agua como un bien común, y no como una mercancía, es condición necesaria para, simplemente, seguir mirando, pensando, respirando y latiendo.

Al abordaje político de todas estas cuestiones es a lo que nos referimos cuando hablamos de poner en el centro la vida. Gabriela Mistral en su poema «Agua» lo expresa con belleza al decir: «Tengo una fuente por mi madre».

2
Aire

Dice Eduardo Galeano que en el aire tiende la araña sus hilos de baba. Metiendo y sacando aire del cuerpo, nosotros, los seres humanos y muchos otros seres –aéreos, acuáticos o terrestres– perduramos. Somos cuerpos animados por el aire. La risa, el suspiro y el llanto son aire. El aire es la mezcla de gases que se encuentra en la atmósfera. La atmósfera es el manto gaseoso que rodea un cuerpo celeste. La del planeta Tierra se divide en cinco capas: troposfera, estratosfera, mesosfera, termosfera y exosfera.

La troposfera es la capa más pegada a la superficie terrestre. Tiene unos siete kilómetros de altura en los polos y dieciséis en los trópicos. En ella está el aire que respiramos. Acoge a las nubes. Es el escenario de fenómenos atmosféricos que determinan el clima. Un poco más arriba, en la estratosfera, se encuentra la capa de ozono que protege a la Tierra de los rayos ultravioleta.

El aire está formado por átomos y moléculas de diferentes gases. Oxígeno, que la mayor parte de seres vivos necesitan para existir; dióxido de carbono, que participa en procesos biológicos y climatológicos fundamentales como la fotosíntesis, ayuda a retener el calor que proviene del Sol (efecto invernadero) y es el residuo de la respiración y de reacciones como la combustión del petróleo, el carbón y el gas natural; ozono, que absorbe la mayor parte de los rayos ultravioleta procedentes del Sol; vapor de agua en cantidad muy variable, que contribuye a la formación de las nubes y la niebla, y que también es uno de los gases de efecto invernadero; partículas sólidas y líquidas en suspensión como, por ejemplo, polvo, polen o agua.

En la larguísima historia de la vida, no siempre la atmósfera fue así. Su composición actual no se parece en nada a la capa gaseosa primitiva que envolvió la Tierra. Fueron los seres vivos capaces de hacer la fotosíntesis los que, consumiendo compuestos de carbono y liberando oxígeno, fueron determinando la composición actual del aire, que ha permanecido dinámicamente estable durante los últimos miles de años. Es a ella a la que están adaptadas las especies existentes, también la nuestra.

Parte de la atmósfera está también en el suelo, ocupa sus intersticios, e interactúa con los gases disueltos en el agua, de modo que podríamos decir que la atmósfera se extiende por el medio líquido y por la tierra.

Por el aire circulan ríos. Un río atmosférico es una banda de humedad concentrada en nubes, que transporta agua y vapor de agua. Los ríos aéreos pueden tener miles de kilómetros de largo y cientos de ancho. Por ellos circula mucha más agua que por los ríos de la Tierra, mucha más, incluso, que por el Amazonas.

El viento es el movimiento del aire a gran escala. Las dos variables que influyen en la circulación del viento tienen que ver con la temperatura y con la fuerza centrífuga producida por la rotación del planeta. Como todo lo que importa, los vientos tienen nombre. Cuando su velocidad aumenta súbitamente durante un tiempo muy corto se llama ráfaga. Si es de larga duración, según la fuerza que tenga, puede llamarse brisa, tifón, temporal, huracán o tormenta. Los pueblos también reconocieron y pusieron nombre a los vientos locales. Ábrego, bochorno, cierzo, galerna, levante, lebeche, poniente, siroco, tramontana…

Los vientos –como también el agua– cambian el paisaje. A veces, la caricia lenta de la erosión. Otras, una irrupción violenta que deja el paisaje irreconocible tras su paso. Pueden detener o acelerar los incendios, diseminan y esparcen semillas e insectos. El polvo de los desiertos recorre grandes distancias a lomos del viento. El cóndor, el cernícalo, el vencejo y el colibrí se sostienen, cada uno a su modo, en el aire. El paisaje, el molino, el barco y el aerogenerador son hijos del viento. Para los seres vivos el aire es vida y relación.

La música es un regalo del aire. Sin aire, en el vacío, el sonido no se propaga. El duende de Estrella Morente, el fado de Dulce Pontes y la morna de Cesária Évora llegan planeando en el aire. Y también el lenguaje oral que se produce cuando el aire pasa a través de las cuerdas vocales desde los pulmones hasta la faringe y la laringe. Este aire baila en la boca con la lengua, los labios y la mandíbula que lo transforman en conversación o canto. No es la única forma de hablar. También se forman palabras con las manos y el cuerpo a través del hipnótico lenguaje de signos.

La botánica y escritora descendiente del pueblo potawatomi, Robin Wall Kimmerer, en su libro *Una trenza de hierba sagrada*, cuenta que su idioma es reflejo de la tierra y la gente.[7] Dice que las historias son seres vivos que crecen, se desarrollan, recuerdan y cambian. Las historias son una mezcla de tierra, cultura y narrador, y así evolucionan, de manera que una única historia puede contarse de mil maneras.

Sin aire, no hay historias.

Mi abuela me dio las palabras

Siempre he entendido que mi activismo no es más que un contar historias de otro modo, desde otro lado. Mezclar datos, textos, narraciones, experiencia, informes, emociones, libros, poemas... y devolverlos en modo de relato. Lo más riguroso posible, lo más veraz posible, tan duro como sea preciso, tan bello como sea posible,

Me gustan las historias, las palabras, los matices, los detalles, los mitos, los cuentos... Se lo debo a mi abuela, la mejor contadora de historias que he conocido. Cuando mis hermanos y yo éramos niños nos tenía pendientes de aquellas historias inverosímiles que solo eran creíbles si las contaba ella. Nos hablaba de su pueblo –del que había salido unos años antes de la Guerra Civil y al que nunca volvió–, de tíos, abuelos y primas lejanas a los que probablemente no había tratado mucho. Eran historias heredadas de su madre. Ella nunca las vivió, pero las reproducía multiplicadas, adornadas. Contaba pocas cosas de la guerra que vivió de adolescente y ninguna de la primera parte de la posguerra.

Sus historias estaban llenas de detalles. Hablaba también con los gestos, los ojos y las manos. Convertía algo absolutamente cotidiano en un asunto lleno de importancia. Lo mismo llorabas de la risa con una historia delirante, que en el medio metía una cuña dramática que te borraba la risa en seco. Sus historias eran complejas. Abría paréntesis dentro de ellas. Y nuevos paréntesis dentro de los que ya había abierto. Enlazaba un tema con otro, pero nunca se perdía. Sabía dónde debía volver y cerraba las cuestiones abiertas, en orden, anudando todos los flecos que habían quedado sueltos. Yo creo que mi abuela era una artista de la lengua y del relato. Te llevaba a donde ella quería, veías a través de sus palabras.

Con sus historias aprendíamos lo que era bueno y lo que era malo, lo que era justo y lo que no lo era.

Será porque llevo su nombre, pero siempre quise contar las cosas como ella y por eso me importan mucho las palabras, cómo se pronuncian, cómo suenan, cómo se enlazan. Me gusta leer, pero mucho más escuchar a alguien que habla con conocimiento y mima la lengua.

Mi abuela murió el año de la pandemia. Le faltaban unas semanas para cumplir los noventa y nueve y había sobrevivido al coronavirus. En los últimos dos años, sus ojos ya solo miraban hacia dentro. Ella quería seguir contando, pero ya no encontraba las palabras. No se acordaba de que nos las había regalado. Y entonces, en cada visita, le contábamos sus historias a nuestro modo, reinventadas. Lloraba de risa y también de pena. Recordaba.

Tuve una maestra que me enseñó a contar historias. Gracias a ella estoy llena de palabras.

La relación más íntima entre humanos y aire se da en la respiración. Gabriel Celaya no encontró mejor forma de explicar la necesidad de la poesía que compararla con el aire que exigimos trece veces por minuto... para ser. (Trece veces exactas, que lo comprobé mientras escribía esto).

Inspiramos aire cargado de oxígeno y, con él, los otros gases y partículas que están presentes en el aire. En nuestros pulmones, la sangre captura ese oxígeno y se desprende del dióxido de carbono, residuo que producen las células al respirar. Trece veces en cada minuto si estamos en reposo.

Respirar. Ese acto, sencillo cuando estás bien, penoso cuando estás enferma, triste, cansada, asustada o el aire está sucio. Ese continuo inflarse y desinflarse es el pedaleo del cuerpo. Nos mantiene en equilibrio y nos separa de la muerte.

Llamamos contaminación del aire a la modificación de su composición. El aumento de la concentración de gases de efecto invernadero que incrementan las temperaturas medias globales y cambian las reglas del juego de lo vivo, las dioxinas emitidas en las incineradoras, moléculas de ozono fuera de su sitio a causa de las olas de calor, partículas procedentes de los tubos de escape de los coches, polvo de metales pesados, radiaciones... Una civilización que le declara la guerra a la vida coloniza con violencia el aire y con él, las plantas, el agua, a los animales, a las personas y las palabras.

Sabemos que son muchas las dimensiones en las que unos seres humanos pueden explotar, someter y humillar a otros. Creo que obligar a respirar mierda es una de las más atroces. Uno enferma respirando, y como no puede dejar de respirar, no puede evitar enfermar. La mierda muchas veces no huele. Pasan años hasta que la enfermedad aflora.

En la civilización industrial, el capital se abrió paso a machetazos contra los pulmones de trabajadores y trabajadoras y los pulmones de la tierra, convirtiendo el trabajo en una venta de órganos forzosa e inadvertida. Silicosis por inhalación de polvos de sílice, antracosis por inhalación de carbón mineral, siderosis por inhalación de polvos de hierro, beriliosis por inhalación de polvos de berilio, estañosis por inhalación y manipulación de polvo de óxido de estaño y humos, saturnismo debido al envenenamiento producido por el plomo, asbestosis causada por la inhalación de fibras de amianto... Todas ellas son enfermedades propias de minas, fundiciones, plantas de concentración mineral y diversas industrias. Afectan a quienes trabajan ahí, a sus familias y a los animales y plantas que les rodean.

Dicen quienes viven en la zona de Quintero, en Chile, que allí el aire envenena. Varias termoeléctricas, fundiciones, refinerías... todas en el mismo territorio. Son mayoritariamente mujeres las que levantan la voz. Se han organizado en el colectivo Mujeres de Zonas de Sacrificio Quintero Puchuncaví en Resistencia.[8] Empezaron porque parían criaturas enfermas y con malformaciones. En el verano de 2018, mil setecientas personas se desmayaron por la inhalación de un químico que todavía no han conseguido que sea investigado. «Los niños y las niñas se desvanecían en las escuelas». Su demanda principal es la de poder criar criaturas sanas y disponer de agua y aire limpios. Buscan formas alternativas de organizar la vida y la economía. En sus reivindicaciones a veces se han encontrado enfrentadas a sus propios maridos. Si ellas organizan una manifestación, las empresas organizan otra, y si ellos –sus maridos– no van, les echan. Pueden encontrarse en el mismo lugar, unos defendiendo el trabajo y el pan, y otras defendiendo la salud de hijos e hijas.

Los hombres verdes

Fueron trabajadores del cobre. Enfermaron. Los casos empezaron a conocerse en la década de los ochenta del siglo XX. Los llamaban así porque a través de las llagas y grietas de la piel les brotaba un líquido verde. Luis Pino, presidente de la agrupación de extrabajadores de Enami-Codelco en Puchuncaví, Chile, es testimonio vivo de los hombres verdes.[9] Al principio no notaron nada. Empezaron a sentirlo cuando llegaban a los cuarenta o cuarenta y cinco años. «Estoy contaminado con plomo, arsénico, cobre y otros metales pesados –dice Luis– a los cuarenta años ya no me quedaba ningún diente en la boca».

Muchos murieron. Las que ahora denuncian son mujeres, ya abuelas, que siguen hablando por sus maridos muertos. Cuentan, ellas, que los trabajadores no se lo podían creer. El cobre era el sueldo de Chile, tanto en época de Allende, que pretendía repartir los beneficios que producía, como en la de Pinochet, que despojaba al pueblo y lo torturaba.

Los trabajadores del cobre vivían un paraíso de condiciones laborales privilegiadas. Vivían con orgullo su condición obrera y consideraban que eran portadores de honor. Fue duro para ellos cuando vieron que la extracción de cobre que les daba de comer también los mataba.

Tenían que sacrificar la propia vida para poder vivir.

Sin conocimiento. Sin elección.

Las minas.

Y es una historia repetida. En el documental *El año del descubrimiento*, antiguos trabajadores de la fundición Santa Lucía de Peñarroya (Murcia)[10] cuentan lo que sucedió en Cartagena el año de la Exposición Universal de Sevilla y los Juegos Olímpicos de

Barcelona. La empresa multinacional francesa Peñarroya, que durante treinta y cinco años había extraído del monte hasta la última veta de plomo, plata y pirita, cerró y despidió a toda la plantilla. Peñarroya dejaba tras de sí varias decenas de kilómetros cuadrados de sierra molida y la bahía de Portman convertida en el mayor foco de contaminación del Mediterráneo.[11]

En el documental, uno de los trabajadores cuenta cómo, en cierta ocasión, su mujer y su hijo se manifestaban exigiendo el cierre. Mientras, él estaba dentro del recinto resistiendo y defendiendo la empresa. Una vez despedidos, para demostrar que se habían contaminado trabajando en la fundición, intentaron donar sangre. No pudieron hacerlo por la alta concentración de plomo que llevaban en sus venas.

En los últimos años se han celebrado varios juicios a raíz de las denuncias de los afectados por el amianto. Trabajadores enfermos –o sus familiares, si ellos ya habían muerto– denunciaron a la empresa Uralita. Ahora reciben las indemnizaciones, algunas de ellas póstumas, por haber estado años respirando aire colonizado por las fibras de asbesto. Se han ido ganando casi todos los juicios. Hubo uno de ellos que se perdió en primera instancia. Fue el de las mujeres de los trabajadores. Denunciaron porque ellas también habían enfermado mientras sacudían y lavaban la ropa de sus maridos e hijos. Pero en el Tribunal Supremo se ganó el juicio contra Uralita.[12] La sentencia es para tenerla siempre bien cerca y releerla de vez en cuando. Uralita no solo explotaba al trabajador, sino también a su mujer o a su madre. Se reconocía así que el trabajo no termina en la puerta de la fábrica. Como hemos aprendido a partir de la economía feminista, hay una incautación de tiempos de trabajo, explotados y no pagados por la empresa, que realizan mayoritariamente mujeres y son imprescindibles para la regeneración cotidiana y generacional de la mano de obra, y por tanto imprescindibles, explotados y no pagados por la empresa.

La incompatibilidad entre trabajo y salud, entre comer y salud, no es más que el fracaso de una civilización.

En 1985, Margaret Atwood construyó una distopía de autoritarismo, infertilidad, enfermedad y pobreza causada por la destrucción del medio natural. Narra en *El cuento de la criada*:

> [...] el aire quedó saturado de sustancias químicas, rayos y radiación, y el agua se convirtió en un hervidero de moléculas tóxicas; lleva años limpiar todo esto a fondo, y mientras tanto la contaminación

> entra poco a poco en tu cuerpo y se aloja en tu tejido adiposo. Quién sabe, tu misma carne puede estar contaminada como una playa sucia, una muerte segura para los pájaros de las costas o los bebés en gestación.[13]

Atwood explica magistralmente la interconexión de todo lo vivo y la imposibilidad de escapar indemnes de la destrucción del mundo al que pertenecemos. Somos aire y su deterioro es inevitablemente el nuestro.

Los monstruos que habitan la normalidad

He vuelto a releer *El cuento de la criada*. En la relectura, cada párrafo, cada reflexión de la protagonista me llevaba mucho más allá. Me obligaba a asomarme a nuestro propio momento. Tenía la sensación de que el texto me colocaba privilegiadamente, antes y con tiempo para evitar la llegada de Gilead, en la república distópica de Atwood.

Atwood crea una sociedad deprimente en la que las mujeres fértiles, las criadas, son una propiedad valiosa en la medida en que producen hijos. Son mujeres que viven recluidas en habitaciones en las que se ha quitado del techo cualquier objeto de los que se pudiese colgar una cuerda. Defred, la protagonista, afirma:

> [...] sé por qué el cuadro de los lirios azules no tiene cristal, y por qué la ventana solo se abre parcialmente, y por qué el cristal de la ventana es inastillable. Lo que temen no es que nos escapemos, sino esas otras salidas, las que puedes abrir en tu interior si tienes una mente aguda.

Esas salidas son para algunas criadas la renuncia a la propia vida y para Defred, la resistencia y la voluntad de escapar.

Un contexto en el que la vida empieza a desmoronarse es el que permite la instauración de la República de Gilead, y también aquí las palabras de Defred se me cuelan dentro y me parecen inquietantemente próximas:

> Todo está bajo control [...] Fue entonces cuando suspendieron la Constitución. Dijeron que sería algo transitorio. Ni siquiera había disturbios callejeros. Por la noche la gente se quedaba en su casa mirando la televisión y esperando instrucciones. Ni siquiera existía un enemigo al cual denunciar [...] Por supuesto, se organizaron marchas de montones de mujeres y algunos hombres. Pero fueron menos importantes que lo que cualquiera podría pensar. Creo que la gente sentía pánico.

Me suena todo tan posible, que me resulta increíble cómo Margaret Atwood pudo escribir esto en 1985.

Cuando la criada ya no era ella, sino Defred –porque ya ella, su cuerpo, su vagina y su útero pertenecían a Fred–, recordaba:

> Llevábamos una vida normal. Como casi todo el mundo, la mayor parte del tiempo. Todo lo que ocurre es normal. Incluso lo de ahora es normal. Vivíamos, como era normal, haciendo caso omiso de todo. Hacer caso omiso no es lo mismo que ignorar, hay que trabajar para ello.

Defred resiste en la memoria. Guarda su nombre, su verdadero nombre, como un tesoro. Y no olvida que tuvo una hija que le quitaron, y que amaba a un hombre que se llama Luke. Defred, en una Gilead en la que solo cuenta porque es fértil y productiva, se rebela y dice «quiero ser algo más que valiosa». Esta afirmación, para mí, es lo que da aliento a la utopía posible: las vidas valen, independientemente de la utilidad que producen.

Defred, la criada de Margaret Atwood, se hace fuerte en la República de Gilead. De la memoria, la voluntad de resistir y la conciencia de que se puede vivir de otra manera llegan la desobediencia y la necesidad de alianzas. Atwood da algunas claves para iniciar el camino. Ojalá sepamos caminarlo.

Defred dice: «Estoy viva, vivo, respiro, saco la mano abierta a la luz del sol».

La civilización industrial se ha erigido clavando cimientos, engranajes y pernos en los pulmones de los mineros y otros trabajadores en las fábricas. Tiene contraída una deuda impagable con quienes se dejaron la vida arrancando minerales de la tierra y respirando su polvo. Es responsabilidad del conjunto de la sociedad, de nosotros y nosotras, garantizar su seguridad y la de sus familias hasta que mueran. Sin duda. Pero eso no es exactamente lo mismo que seguir manteniendo los beneficios de quienes les explotan.

Hoy asistimos a la negación sistemática de las consecuencias del extractivismo y de la industrialización sin límites. Se han negado la lluvia ácida, el agujero de la capa de ozono y el cambio climático. Se financia la negación y la duda, se acusa de interesado o antisistema y se ridiculiza a todo aquel que denuncia los excesos del progreso. Si además eres mujer, eres loca, golfa, puta ignorante o ridícula. Si has enfermado, lo que tienes es una depresión o trastorno psicológico. Solo cuando años después se ponen los muertos encima de la mesa se actúa, porque la cautela, la prevención o el cuidado requieren anticipación, freno, autolimitación colectiva, y son misión imposible si la vida digna y la salud no son un empeño, sino solo un subproducto de los beneficios.

La negación de los colores de Van Gogh

Dicen que Van Gogh conoció el Londres sucio, cubierto por esa niebla de humo permanente y contaminado que Dickens fotografió magistralmente en su narrativa. También conoció el origen mismo de la energía que contaminaba Londres a la vez que la desarrollaba. En lugares como las minas de Le Borinage convivió con los mineros.

En sus primeras pinturas, comprometido con lo que había visto y olido, pintó cuerpos retorcidos, mal respirados y alimentados, en casas sucias y arruinadas por la pobreza.

Al trasladarse a la Provenza, tras entrar en contacto con el aire limpio del campo en Francia, se rebeló contra los excesos del industrialismo y comprendió que el humo y la suciedad despojan a los seres humanos, además de la salud, de las capacidades que otorgan los sentidos, descubrió un mundo de colores y transparencias negados en las ciudades del progreso.

La visión de tanto color en sus pinturas fue inaceptable para muchos de sus contemporáneos. Lewis Mumford nos cuenta que Van Gogh, como otros impresionistas, fue denunciado por impostor. Los colores que pintaba no estaban amortiguados por la niebla y opacados por el humo, el verde de su hierba y el brillo de las flores cegaban, pero quienes defendían el sacrificio de los colores y los olores en los altares del progreso industrial, preferían negar el color para legitimar la normalidad de su ausencia.

En cierto modo, estos pudieron ser los primeros negacionismos.

La supremacía del capital y el aire limpio no son compatibles

Que el aire que exigimos trece veces por minuto sea limpio para todo el mundo no se puede conquistar sin poner patas arriba la normalidad de la racionalidad económica vigente. La lucha del movimiento obrero ha conquistado importantes mejoras en las condiciones laborales en muchos lugares. Sin duda, los salarios y los horarios de trabajo o las edades de jubilación de los mineros, principalmente de los países enriquecidos, han mejorado notablemente. Demuestran que la organización y la unión consiguen doblegar a quienes explotan. Merecen ese triunfo, sin lugar a dudas. Por su lucha y su sacrificio. Sin embargo, no diría que estos triunfos hayan conseguido superar la dimensión más brutal de la alienación y la explotación: el que haya gente que para poder vivir tenga que dar a cambio la salud.

La legítima reivindicación del aumento salarial es casi la única encajable por el capital. No hace mella en la racionalidad económica. No es fácil conseguirlo y requiere una lucha intensa. Han matado a gente por ello. Cuando se gana, los dueños de los medios de producción, privados o estatales, terminan ofreciendo mejoras salariales y pluses monetizados a cambio de riesgos y salud.

Pero que el aire que exigimos trece veces por minuto sea limpio para todo el mundo, que el clima no expulse a grandes sectores de población o que la prosperidad de unos no esté correlacionada con el despojo –en términos biofísicos– y la enfermedad de otros, estos triunfos, no se conquistan sin poner patas arriba la normalidad de la racionalidad económica vigente. No encajan. Menos en tiempos de límites desbordados.

La cuestión de la calidad del aire no es una batalla solo en el ámbito laboral. Está presente también en las vidas cotidianas. El aire es un campo de batalla desde el que se agrede a todo lo que está vivo. Según Ecologistas en Acción, en 2019, 44,2 millones de personas respiraron aire contaminado en España.[14] Los datos eran mejores que los del año anterior, y aun así el 94 % de la población y el 88 % del territorio estuvieron expuestos a unos niveles de contaminación que superan las recomendaciones de la Organización Mundial de la Salud (OMS). Tomando como referencia los estándares de la normativa de la Unión Europea, más laxos que las recomendaciones de la OMS, la población que respiró aire contaminado por encima de los límites legales fue de más de doce millones de personas.

Cada año se registran alrededor de treinta mil muertes prematuras en el Estado español a causa de la contaminación del aire. La principal fuente de contaminación en áreas urbanas, donde se concentra la mayor parte de la población, es el tráfico motorizado.[15]

El aire y los pulmones han sido privatizados. Dicen algunos que restringir el tráfico y la movilidad motorizada o en avión atenta contra la libertad; que ajustar los consumos a lo que es posible para no destruir la vida y matar a otros seres vivos es restringir la libertad. Pero no se puede, no se debe, disfrutar la libertad individual en los pulmones de otros. No se puede ganar dinero a costa de los pulmones de otros. La libertad, como la justicia, es relacional. Repudiamos una idea de libertad individual que colisiona con las posibilidades de vida decente de muchos otros seres vivos, aéreos, terrestres y acuáticos.

«No puedo respirar»

El 25 de mayo de 2020, en Mineápolis (Estados Unidos), George Floyd fue arrestado por cuatro policías locales.

Uno de ellos le colocó la rodilla contra el cuello. Durante más de siete minutos repitió varias veces: «I can't breathe». Murió asfixiado.

Casi seis años antes, el 17 de julio de 2014, en Nueva York, fue también asfixiado por la policía Eric Garner. Hasta once veces dijo que no podía respirar.

En marzo de 2021, en el municipio turístico de Tulum (México), un policía local asesinó a una mujer migrante salvadoreña, Victoria Esperanza Salazar. Le colocó la rodilla en el cuello y ni él ni los tres policías que le acompañaban hicieron caso a la mujer cuando decía que no podía respirar.

No pudo respirar tampoco Eleazar Blandón, un jornalero abandonado en un centro de salud de Murcia. El 1 de agosto de 2020 sufrió un golpe de calor después de trabajar durante varias horas a 44 °C. Los responsables no le auxiliaron cuando comenzó a sentirse mal, tampoco llamaron a una ambulancia, y se demoraron hasta para dejarlo tirado en el ambulatorio. Trabajadores con una rodilla en el cuello.

Son muchas las personas que no pueden respirar. Por ser negras, latinas, gitanas, por no tener papeles, por ser pobres, por estar explotadas.

La cultura del usar y tirar llevada a lo humano.

«I can't breathe» es el grito que denuncia una forma estructuralmente racista, injusta y ecocida de organizar la vida.

La crisis de la covid-19 ha iluminado dolorosamente la encrucijada en la que estamos atrapadas: hay que aprovechar para respirar hondo cuando la economía se desploma, pero entonces lo que está en riesgo es la comida, la casa o la luz. Sin salir de esta trampa no hay vida buena, no hay vida futura decente posible.

El aire está sufriendo un atentado, pero la inercia en la forma de entender la economía, el desarrollo y el progreso hace borrosa la imaginación y la osadía para explorar otros caminos. Es más fácil imaginarse viviendo sin aire que sin capitalismo. La posibilidad de pensar desde la complementariedad las dicotomías salud y economía, aire y economía, cuidados y economía o justicia y economía pasa por la reconstrucción de una visión de lo económico radicalmente diferente. Una economía centrada en los límites, las necesidades, la suficiencia y el reparto. Tenemos un problema y no es atmosférico. Es político. Desde todas partes hay que sumar para hacerle frente. Mucha gente lo está haciendo ya, pero tenemos que ser más.

El grito, el esfuerzo y el eco también son aire.

3
Tierra

Debe ser precioso ver la Tierra desde fuera, pero yo solo la he visto desde dentro. Dicen quienes la han visto desde el espacio que la Tierra es, sobre todo, azul, que su visión sobrecoge. Una pequeña bola azul y blanca, suspendida, silenciosa y frágil, que alberga la única vida que conocemos hasta ahora. Parece que, desde el espacio, las fronteras, los rascacielos, los monocultivos de soja, las autopistas, y las macrourbanizaciones son invisibles. Vista desde dentro, la Tierra es marrón, verde, blanca, roja, negra... y, cada vez más, gris.

La Tierra es el tercer planeta del sistema solar. Gira alrededor del Sol en su movimiento de traslación y alrededor de sí misma en el de rotación. Se formó hace aproximadamente 4 500 millones de años. Mil millones de años más tarde, como una sorpresa, surgió la vida. *Homo sapiens*, nuestra especie, apareció en la Tierra hace algo más de 150 000 años. El modelo económico sagrado, basado en el crecimiento continuo y sin límites que pone en riesgo a muchos seres vivos en la Tierra, nació hace apenas doscientos años. El petróleo a gran escala se empezó a extraer hace cien. La biocapacidad de la Tierra se sobrepasó hace unos treinta y cinco años. El derretimiento completo del hielo ártico en verano llegará en treinta años.

La palabra humano está emparentada con *humus*, que significa tierra o suelo. Humano significa procedente de la tierra, del suelo. Nuestro propio nombre nos revela que, además de ser agua y aire, somos también tierra y suelo. En una cultura que no se siente terrícola no se echa de menos caminar sobre el suelo vivo que le da nombre a nuestra especie.

LLAMAMOS SUELO A LO QUE PISAMOS

Marta Pascual, una amiga y compañera de Ecologistas en Acción, es profesora en un instituto de Madrid. Todos los años propone a su alumnado escribir la lista de lo que pisan durante uno o dos días. El resultado suele ser una lista más o menos así: alfombra, parquet, baldosa, asfalto, madera, empedrado, asfalto, mármol, parqué, plástico, asfalto, baldosa, alfombra, gres, madera, asfalto.

Casi ninguna de las personas que hacen el ejercicio se sorprenden por no haber pisado tierra viva en ningún momento. En sociedades que han aprendido a mirar la tierra como si viviesen fuera de ella, aun estando inexorablemente dentro, no extraña pisar solo cosas muertas. Cuando no nos reconocemos parte de la tierra, lo vivo y lo muerto a veces es indistinguible.

En 2019, el Ayuntamiento de Madrid dio permiso para promover una operación urbanística en el norte de la ciudad. Planeaba construir miles de oficinas y nuevas viviendas. El proyecto incluía el soterramiento de las vías de tren de una estación cercana. Se anunciaba que sobre el entramado de vías se «construiría» una zona verde de dieciocho hectáreas. La zona verde era una enorme losa de hormigón. Creer que una alfombra verde sobre una losa de hormigón es naturaleza es un buen ejemplo de la confusión entre lo vivo y lo muerto.

Entre 1994 y 2007 el territorio del Estado español fue sepultado por un tsunami de cemento. Las consecuencias han sido devastadoras en el plano ecológico: utilización de cantidades ingentes de energía y materiales, impermeabilización del territorio, destrucción de los ecosistemas litorales –que han quedado tapizados con segundas residencias, ocupadas una media de veintidós días al año–, fragmentación de hábitats naturales, requerimiento de enormes cantidades de agua…

La explosión de la burbuja inmobiliaria en 2008 dejó muchos de aquellos proyectos sin terminar. Julia Schulz-Dornburg realizó en 2012 un inventario fotográfico de las ruinas modernas que había sembrado la construcción especulativa en España. Son los paisajes-residuo de la explotación inmobiliaria: carreteras a ninguna parte, pistas de esquí en territorios resecos, aeropuertos sin actividad. Las ruinas se superponen a los cimientos.

Robert Smithson, pionero del *land art* –de hecho, fue quien propuso el nombre–, fotografió en su obra *Los monumentos de Passaic* las ruinas industriales que quedaron en Nueva Jersey después del crac del 29. Dice que en su obra trataba de reflejar la inmortalidad fallida, la memoria de un paisaje industrial agotado y entrópico.

El tiempo de la destrucción es cada vez más veloz. No es ya que las cosas queden obsoletas pronto, sino que mueren incluso antes de llegar a ser. Si en 1967 Smithson retrataba el paisaje agotado de Passaic, en 2012 Julia Schulz-Dornburg nos asoma a las ruinas de proyectos que nunca tendrían la oportunidad de nacer.[16]

Y en medio de las ruinas, gente como Marta, pacientemente, sigue ayudando a que otras personas miren lo que pisan y aprendan a distinguir las cosas vivas de las muertas.

Los suelos son uno de los ecosistemas más complejos que existen en la naturaleza y uno de los hábitats más diversos de la Tierra. Un entorno vivo en el que hallamos miles de millones de organismos que se alimentan unos de otros, se descomponen unos a otros, se regeneran unos a otros.

Los organismos del suelo interactúan con el aire y el agua. Son responsables del ciclo de los nutrientes y regulan la dinámica de la materia orgánica, la retención de carbono y las emisiones de gases de efecto invernadero; modifican la estructura física de los suelos y los regímenes hídricos, y refuerzan la vitalidad de las plantas. La interacción de los organismos del suelo entre sí y con las plantas y los animales forma una red compleja de actividad ecológica. Se llama red trófica edafológica. Todos ellos, junto con las personas campesinas, crean, mantienen y regeneran la fertilidad de los suelos. La posibilidad de producir alimentos se apoya en esa densa red de relaciones.

La salud de los suelos es fundamental para el bienestar y la supervivencia humana. La agricultura tradicional –y ahora también la agroecología– se ocupa de producir alimentos y, además, de nutrir y mantener la capacidad regenerativa del suelo. La agricultura industrial, sin embargo, trata el suelo como un contenedor muerto y vacío en el que se producen los alimentos. Lo que le hace falta al cultivo para crecer se aporta desde fuera, se sintetiza químicamente, usando petróleo y extrayendo nitratos y fosfatos de otros territorios. De este modo, la agricultura deja de ser una actividad cíclica y renovable para convertirse en una actividad industrial y extractiva más. Si se sigue destruyendo el sustrato vivo del planeta, en los próximos veinte o treinta años solo por esta causa dispondremos de un 30 % menos de alimento.

La economía convencional se ha construido como si la vida humana flotase por encima de la tierra y de los suelos, como si estos no tuviesen su propia dinámica y fuesen ilimitados. Ha cortado ilusoriamente el vínculo que la une a la materialidad de la tierra. A una velocidad vertiginosa, en términos de historia de la vida, ha alterado los equilibrios sobre los que esta se sostiene. La pérdida de la tierra se ha denominado desarrollo.

La tierra y los suelos sufren una creciente presión por la intensificación y la competencia para su explotación: extractivismo, agricultura y ganadería industrial, urbanización masiva, industria sin límites, residuos a gran escala, etc. Si sumamos la contaminación y el cambio climático, la degradación se extiende como un tumor: sequías, desestabilización de los equilibrios en las turberas, cambio en la humedad y composición de los suelos…

De entre los muchos efectos visibles, me impresiona especialmente el derretimiento del permafrost, el subsuelo helado de las zonas más cercanas al círculo polar, como Alaska, Escandinavia, Siberia o Canadá. Treinta y cinco millones de personas que viven en ellas ven en peligro la estabilidad del suelo donde se asientan sus casas, donde pisan, donde viven. La tierra descongelada deja escapar enormes cantidades de metano, que quedaron atrapadas en los suelos hace mucho tiempo y realimentan el cambio climático. Reaparecen también enfermedades, como el ántrax a causa de la descongelación de los cadáveres de animales que siglos atrás murieron a causa de ella.

La contaminación del suelo supone la alteración de la superficie terrestre con sustancias químicas que resultan perjudiciales para la vida en distinta medida, poniendo en peligro a las plantas, a los animales, al agua, a las personas... No siempre puede solucionarse el problema, y a veces la degradación es irreversible.

Metales pesados, hidrocarburos, productos fitosanitarios, basuras, urbanizaciones a medio construir, ácidos, residuos de la minería, barriles de residuos radiactivos. Son los longevos subproductos de un desarrollo concebido de espaldas y en contraposición con la tierra. Son los bebés horrendos de la civilización, que diría la escritora inglesa Abi Andrews.

Yemen padece hoy una hambruna feroz. Según Naciones Unidas, es la peor crisis humanitaria del planeta de los últimos cien años. Trece millones de personas están en riesgo de inanición. Los campesinos del norte del país han denunciado los ataques reiterados de la coalición liderada por Arabia Saudí sobre sus granjas, campos y cosechas, que impiden la agricultura local y envenenan la tierra con los productos tóxicos que bombardean.

Vicenç Fisas, en el libro *Matar de hambre*[17] hace una relación de las formas a través de las cuales se arrebata el alimento: destruir y saquear la tierra, expropiarla, atacar en épocas de siembra, dificultar el acceso a las tierras productivas, mantener tierra improductiva adrede, expulsar a campesinos y campesinas... Un hilo directo une el hambre con la destrucción y la desposesión de la tierra.

En *Mein Kampf*, Hitler defiende que la política es el arte de llevar a cabo la lucha vital de un pueblo por su existencia en la tierra. La política exterior, dice, es el arte de asegurarle a un pueblo el tamaño y la calidad del espacio exterior que necesita.[18] En la limitación del espacio vital, dice, radica la necesidad de la lucha por la vida. La estrechez del espacio vital en el que hoy vive el pueblo, dice, exige la conquista de nuevas tierras. El mismo Hitler en su discurso del 13 de noviembre de 1930 afirmaba: «Todos nosotros intuimos que en un futuro lejano se cernirán sobre el ser humano problemas a cuya superación solo estará llamada una raza suprema por su condición de pueblo de amos que puede apoyarse en los recursos y las posibilidades de todo un planeta».[19] Resulta brutal leerlo, pero más aún que sus exabruptos coincidan tan crudamente con la racionalidad económica vigente. Si cambiamos espacio vital por huella ecológica, los resultados son parecidos. Si toda la población del planeta viviese como la media de una persona en España, harían falta casi tres planetas. Lo que unos tienen de más, sale de la tierra que otros pierden.

Durante las tres últimas décadas se ha acelerado el desplazamiento de poblaciones campesinas y la formación de un proletariado sin tierra en países como México y la India; recursos que antes eran propiedad comunal están siendo privatizados y transformados en mercancías. A partir de los ochenta el capitalismo mundializado ha intensificado los mecanismos de apropiación de tierra, privatizaciones y explotación del trabajo humano. Los instrumentos financieros, la deuda, las compañías aseguradoras, y toda una pléyade de leyes, tratados internacionales y acuerdos constituyen un entramado jurídico y económico que allana el camino para que la compleja arquitectura de empresas transnacionales, apoyadas en gobiernos a diferentes escalas, despojen a los pueblos, destruyan los territorios, desmantelen la red de protección pública y comunitaria que pudiese existir, expulsen a la gente y a otros seres vivos del territorio y criminalicen y repriman las resistencias que surjan. Es otra forma de guerra.

Países ricos del Golfo Pérsico, Estados Unidos, economías emergentes asiáticas (como China, India o Corea del Sur), empresas transnacionales y entidades financieras, están comprando enormes extensiones de territorio de África y América Latina. Así se aseguran el suministro de alimentos para las personas o para la ganadería industrial, de agrocombustibles y de fibras para transporte motorizado. Este acaparamiento implica la destrucción de economías rurales tradicionales y el destierro forzoso de sociedades campesinas y pueblos originarios.

Los territorios quedan divididos entre zonas de sacrificio –de extracción, de producción y de recepción de residuos– y espacios de consumo. Las personas se dividen entre las que están protegidas, en mayor o menor medida, por el poder económico, político y militar divorciado de la tierra, y la población sobrante, desterrada y sin derechos.

La primera vez que escuché hablar de las zonas de sacrificio me impresionó la dureza del nombre, y a la vez su precisión.

Una zona de sacrificio es un territorio que ha estado permanentemente sujeto a una agresión ecológica o que ha sido sistemáticamente abandonada. Normalmente, se trata de zonas en las que viven personas empobrecidas y con frecuencia no blancas que se ven afectadas por los residuos tóxicos, la contaminación y la destrucción de una tierra fértil en la que poder producir lo que comen.

La actividad de las grandes corporaciones produce, con frecuencia, zonas de sacrificio y vidas sacrificadas. Naomi Klein, en *Esto cambia todo: el capitalismo contra el clima*, explica que mantener una economía basada en energías que liberan venenos como una parte inevitable de su extracción y refinado,[20] ha requerido siempre de la existencia de zonas de sacrificio, territorios y personas que son consideradas inferiores. Esa subvaloración es la que hizo aceptable su envenenamiento en el nombre del progreso.

KEN SARO-WIWA, DESEOSO DE PRESERVAR EL DERECHO A LA VIDA DECENTE

Han existido y existen movimientos de resistencia que se rebelan contra el designio de ser sacrificados. En 1995 nueve activistas del pueblo ogoni fueron condenados a muerte y ejecutados en Nigeria por denunciar que sus tierras, la salud y la vida de quienes habitaban aquella zona estaban siendo destruidas por los vertidos de petróleo. Unos de los activistas ahorcados fue el poeta Ken Saro-Wiwa. En su declaración final dijo:

> Consternado por la pobreza denigrante de mi pueblo que vive en una tierra ricamente dotada, angustiado por su marginación política y el estrangulamiento económico, enojado por la devastación de su tierra, su legado fundamental, deseoso de preservar su derecho a la vida y a una vida decente, y decidido a marcar el comienzo en este país de un sistema justo y democrático que proteja a todos y a cada grupo étnico [...], he dedicado mis recursos intelectuales y materiales, mi propia vida, a una causa en la que creo plenamente y a la que no se le puede chantajear ni intimidar. No tengo ninguna duda en absoluto sobre el éxito final de mi causa, sin importar las pruebas y tribulaciones que yo, y los que creen como yo, podamos encontrar en nuestro camino. Ni la cárcel ni la muerte pueden detener nuestra victoria final.[21]

Catorce años después, una denuncia obligó a que la empresa petrolera Shell tuviese que ir a juicio. La empresa pagó once millones y medio de dólares y no llegó a haber sentencia. En 2021, por fin, Shell fue condenada por aquellos atentados.

Marx relata cómo la acumulación originaria partió de los *enclosures* –cercamientos– que arrebataron la tierra a los campesinos, obligándolos, una vez desterrados, a convertirse en proletarios. La acumulación del capital es, *de facto*, desposesión y expulsión para los desfavorecidos y la falacia de una falsa emancipación de la tierra para los privilegiados.

El sueño de desmaterialización de Silicon Valley descansa sobre la explotación y la contaminación en los polos industriales de Shenzhen, y estos sobre el extractivismo mineral y humano en las minas del Sur Global. Una red de relaciones económicas complejas que podríamos llamar pirámide trófica capitalocénica. Son relaciones parasitarias.

A gran escala, la economía mundializada e industrializada es la ilusión de un despegue de la tierra. Un gran destierro colectivo y desigual. Perteneciendo inevitablemente a la tierra, el progreso nos ha enseñado a mirarla desde fuera y desde arriba. Nos ha enseñado a sentirla como un instrumento inerte e inagotable.

Supremacismo extraterrestre

El 18 de febrero de 2021, a última hora de la tarde, aterrizó la sonda espacial Perseverance en Marte. Ha transportado un vehículo de exploración extraterrestre cuya misión es buscar rastros de vida y analizar la composición mineral del planeta. Me fascina la exploración del universo y la investigación sobre la existencia de vida en otros planetas. Siento un gran respeto por las personas que dedican su vida a estudiarlo.

Dicen que si el viaje del Perseverance se hubiese hecho hace 3 500 millones de años, en lugar de llegar a un cráter rojo y pelado, se hubiera posado en medio de un lago. Entonces, Marte era un planeta azul. Pero hace millones de años, los equilibrios se rompieron y evolucionó hasta convertirse en un desierto helado. En paralelo al proceso marciano, hace 4 000 millones de años la vida surgía y evolucionaba en la Tierra.

Desde la Tierra algunos miran a Marte. Albergan el sueño de que la vida humana, que dan por desahuciada en el tercer planeta del sistema solar, pueda tener continuidad en el cuarto.

Elon Musk es el líder de la escapada a Marte. Considera inevitable la extinción de la vida humana en la Tierra y cree que el único camino para que algunos seres humanos tengan futuro es la colonización de otros planetas. En su manifiesto titulado «Making Humans a Multi-Planetary Species» explica los cálculos que hace para viabilizar su plan.[22]

Parece que la mayor dificultad que encuentra es la económica. Dice que, haciendo un cálculo optimista, llevar a una sola persona a Marte costaría alrededor de diez millones de dólares y que, claro, siendo tan caro, sería complicado que emigrase una cantidad de gente suficiente como para que se pueda vivir allí de una forma sostenida en el tiempo. Por ello, se ha planteado como objetivo que en el futuro el precio del pasaje se pueda reducir a doscientos mil dólares por persona, de forma, argumenta, que *casi* cualquier persona que quiera ir va a poder hacerlo.

Es verdad que, contrastados con otros datos, los de Musk son optimistas. La NASA dejó de disponer de lanzaderas propias en 2011 debido a que el gobierno estadounidense no quería seguir pagando su elevado coste. Cada vez que quieren enviar un astronauta al espacio, usan los servicios de otra compañía. La idea era utilizar las lanzaderas de SpaceX –la empresa fundada por Elon Musk–, pero lo cierto es que su desarrollo lleva varios años de retraso, por lo que desde 2016 lo que hacen es pagar algún asiento adicional en un cohete Soyuz. La NASA paga entre ochenta y noventa millones de dólares a Roscosmos, la Agencia Espacial Federal de Rusia, por mandar a un astronauta al espacio ya no a Marte, sino bastante más cerca.

Y ese no es todo el coste. El Ministerio de Ciencia de Reino Unido declaró que se gastaron unos veinte millones de dólares en entrenar durante varios años a un astronauta, sin contar su sueldo. Además, cada astronauta come tres veces al día y esa cantidad de comida pesa en torno a 2,49 kilos. En una misión de ciento ochenta días se requieren 448,2 kilos de comida por persona. El transporte de un solo kilo de comida desde la Tierra en uno de los cohetes de SpaceX cuesta cerca de sesenta mil dólares. La comida durante toda su misión puede costar casi veintiseis millones de dólares.[23]

Si lo analizamos también en términos energéticos y minerales, un cohete requiere grandes cantidades de materiales y energía.[24] Solo para el despegue y los primeros segundos de vuelo, el Saturno V, un cohete grande, utilizó 770 000 litros de queroseno, además de 1 204 000 litros de oxígeno líquido para que se pudiese producir la combustión del queroseno.

Musk calcula que para que una ciudad o civilización se sostenga en Marte debería tener como poco un millón de personas. En el caso de que en el futuro hubiese naves capaces de llevar a cien personas, serían necesarios unos diez mil viajes. Como le parece mucho, estima que habría que construir unas mil naves que pudieran ser reutilizadas doce veces. Este Noé galáctico está convencido de que en cien años esta colonia humana estará en Marte.

Señala, eso sí, que hasta que llegue el momento del despegue de la primera nave tripulada, tienen que solucionarse algunos aspectos técnicos. Entre otros, la reutilización de naves y propulsores, la cuestión de cómo hacerlos volver a la Tierra desde Marte o la posibilidad de repostar en órbita. Algo que también tiene cierta importancia y no está resuelto es conseguir que los viajeros lleguen vivos. Según algunas voces expertas, se dispone de tecnología para un plan de misión viable en todos los aspectos salvo en la protección de los astronautas, pensando en un nivel de seguridad medio-alto.[25]

Resueltos estos flecos, todo es coser y cantar.

Tiene previsto tener su primer desarrollo de nave espacial hacia 2023 o 2024, un primer prototipo que al principio se dedicaría al transporte velocísimo de mercancías, ya que podría recorrer la distancia entre Tokio y Nueva York en veinticinco minutos. Mientras se resuelve lo de la seguridad de las personas, Musk plantea que las cápsulas Dragon pueden establecer una ruta fija a Marte y aprovechar estos primeros viajes sin tripulación para ir llevando los bártulos que harán falta cuando llegue la gente. Entre los viajes ultrarrápidos en la Tierra, el transporte interplanetario de mercancías, las inversiones privadas y la colaboración con la NASA le salen las cuentas para asegurar la financiación de la gran escapada.

Quienes defienden la posibilidad de vivir en Marte, afirman que los primeros habitantes tendrían que demostrar que se puede sobrevivir. Tendrían que generar el propio oxígeno que respiren, producir su propia comida, reciclar desde sus heces a cualquier residuo que produzcan, alimentarse fundamentalmente de vegetales y vivir sobriamente.

Dicen que lo más posible es que el hábitat humano principal en Marte tenga que ser subterráneo. En el subsuelo, habría más probabilidades de sobrevivir a las temperaturas medias de 63 ° bajo cero que se dan en la superficie y de resistir a las intensas tormentas de arena marcianas y a la escasa protección de la radiación. De hecho, hay experimentos que intentan reproducir estas condiciones en cuevas terrícolas para ver cómo podría hacerse.

De vuelta a la Tierra

Y volvemos a la Tierra. Un planeta en cuyo seno surgió la vida hace unos 4 000 millones de años y que desde entonces ha evolucionado conformando un sistema extraordinariamente complejo que ha posibilitado el desarrollo y extensión para que nuestra especie se haya podido extender. Una atmósfera con oxígeno suficiente, agua en estado líquido, ciclos naturales que garantizan la continuidad de lo vivo, posibilidad sencilla de encontrar o producir alimentos, belleza...

Miles de millones de años han sido necesarios para que la trama de la vida sustente a los diferentes seres, incluidos los humanos; unos cuantos decenios de actividad capitalista –incluyendo el capitalismo de Estado de China o las formas de producir en los países del socialismo real– han sido suficientes para desbaratar las condiciones que hacen posible nuestra existencia.

Elon Musk y otros ricos dan por desahuciada a la humanidad. La comunidad científica, sin embargo, dice que podríamos minimizar ese riesgo, aplicando el freno de emergencia e intentando adaptarnos a los cambios que ya han venido para quedarse. Frenar es técnica y económicamente posible, pero, por el momento, políticamente inviable. Habría que acometer profundísimas transformaciones que las élites y también mucha gente común no quieren impulsar.

A mucha gente no resulta atractiva ni deseable la idea de vivir sobriamente. Resulta muy difícil promover modelos de alimentación básicamente vegetal, de cercanía y de temporada, y actualmente el intento de implantación de sistemas separación y recogida de basura puerta a puerta puede hacer caer gobiernos. Me cuesta entender que, sin embargo, resulte fascinante que un supermacho interplanetario prometa que dentro de cien años un millón de ricos podrán haber escapado de la Tierra y vivirán sencillamente, confinados en cuevas, reciclándolo todo, produciendo sus propios alimentos y teniendo estilos de vida sobrios.

Dentro de cien años, de no hacer nada, la vida en la Tierra para miles de millones de personas será imposible. ¿No sería infinitamente más sencillo y justo cambiar los estilos de vida de los sectores privilegiados en este planeta en el que ya tenemos adelantado lo de las condiciones biofísicas favorables? ¿No es absolutamente marciano echar a los jóvenes de Fraguas y prometer un futuro como el que ellos trataban de construir, pero en peor? ¿No es absurdo destruir los territorios para extraer del suelo los minerales y la energía que permitirán supuestamente que una minoría de ricos escape de la Tierra cuando la destrucción de esos territorios y el declive de los minerales y la energía no permita vivir en la Tierra? ¿No es de locos que se haga mofa de quienes plantean, por ejemplo, frenar el despliegue de tecnologías altamente consumidoras en materiales y energía y no salgan cientos de *memes* de ultrarricos reconvertidos en permacultores marcianos?

Tanta tecnoutopía, tanta sacralización del progreso tecnológico y va a ser que, de las cuevas de la prehistoria terrícola, los seres humanos progresarán a las cuevas marcianas. Cuatro mil millones de años de evolución hasta llegar a una vida compleja que se autoprotege y resulta que el futuro es la inviable fantasía de empezar de nuevo en otro planeta en el que, de haber habido vida, se habría extinguido a causa de factores ambientales.

Prometer la salvación para un millón de personas ricas es obsceno. Mantener, además, que esa salvación justifica apropiarse de bienes comunes y no hacer nada ante el exterminio de la mayoría es llegar a la cúspide del parasitismo capitalista. Pero Musk llena salas de conferencias y causa fascinación. No son pocas las clases y/o charlas en las que alguien comenta que ya está muy avanzado esto de salir de la Tierra cuando la cosa se ponga mal. La ciencia ficción supremacista sustituye en algunos imaginarios a la necesidad de una política pública basada en la protección de los comunes, la cautela, la precaución, el reparto y el cuidado de la vida.

En el acto de presentación de uno de los últimos libros del investigador Amador Fernández Savater, el autor afirmó que el capitalismo tiene una lógica extraterrestre.[26] *Alien* significa extranjero, vivir alienado es vivir extraído de la propia condición humana. El capitalismo también extrae ilusoriamente a muchas personas de la trama de la vida, y crea la ficción de que se puede vivir o simplemente *ser* fuera de ella. Resulta que buscamos vida alienígena y la tenemos delante de nosotras. Por eso a algunos no les duele pensar en escapar, en huir, porque no son de ningún lado ni se perciben conectados con nada ni nadie, solo con el dinero.

Mientras tanto, afortunadamente, cada vez hay más gente que se planta sobre la Tierra, que construye experiencias y se organiza para intentar que el dinero, la energía, los minerales, el agua, el arte, la inteligencia, el conocimiento se pongan al servicio de una vida buena aquí. Para todas. No hay duda de que el desequilibrio de fuerzas es brutal, pero mucha gente que no quiere viajar a Marte o sabe que no será posible, construye otras *perseverances*, otras sondas comunitarias que intentan imaginar, no cómo escapar, sino cómo volver a encajarse en la trama de la vida.

«No podemos intervenir en la rotación de la Tierra», se lamenta el padre Cayetano Delaura en la novela de Gabriel García Márquez, *Del amor y otros demonios*. «Pero podemos ignorarla para que no nos duela», le contesta el obispo.[27] Podemos esforzarnos en hacer caso omiso de todo para que no nos duela: ignorar la Tierra, el cambio climático, la expulsión y masacre de personas, animales, plantas y minerales.

En *Naturaleza muerta*, el director chino Jia Zhangke cuenta el después de la construcción de la presa de las Tres Gargantas en China. La película está llena de matices y simbolismo. Destaca el color gris del paisaje, los pueblos y la gente. Solo aparece el color de la naturaleza en todo su esplendor cuando se muestra la parte de las gargantas que se ha preservado para los turistas. La vida como escaparate. Como la losa de hormigón alfombrada de Chamartín o los casinos sostenibles de Extremadura. Desarrollo.

Memoria biocultural

Los antropólogos mexicanos Narciso Barrera Bassols y Víctor Toledo me enseñaron que hay pueblos que olvidan y pueblos que recuerdan.

En su investigación demostraron que la diversidad biológica y cultural son recíprocamente dependientes y geográficamente coterráneas. Los lugares en los que se conserva el mayor número de lenguas habladas son también los lugares en los que pervive la mayor biodiversidad natural. «Ideodiversidad» y biodiversidad van de la mano.

Las culturas que han sido históricamente tildadas de «atrasadas» o «ignorantes» cuentan con un conocimiento y unos saberes que les permiten vivir sin destruir lo que les rodea. Las sociedades «avanzadas», sin embargo, olvidaron una buena parte de los conocimientos que permiten conservar una Tierra sana y rica.

La ciencia de los pueblos que recuerdan es integral, ya que, aunque se localiza en un territorio limitado, recoge información detallada de todo el espacio en el que se desarrolla su actividad. Los pueblos que recuerdan, no solo manejan información detallada sobre especies animales y vegetales, hongos o microorganismos, minerales, suelos, aguas, nieves, topografías, vegetación y paisaje, sino que comprenden las relaciones entre todos ellos. Comprenden los procesos y patrones que ligan los diversos elementos, incluidos a ellos mismos.

La memoria en la que se acumula nuestra conciencia de ser de la Tierra también tiene que ser recuperada.

Algunos pueblos originarios amazónicos dicen que las pesadillas tienen que ser narradas para que no se materialicen. Yo también lo creo. En una entrevista, la filósofa Ana Carrasco-Conde decía: «El miedo es una de las emociones básicas y no conviene eliminarlo. [...] Hay que saber por qué tienes miedo, a qué tienes miedo. El miedo no debe hacer huir de las situaciones que aterran, tiene que ver con saber encararlas, analizarlas, entenderlas. [...] Tener miedo tiene que ver con el cuidado y la preocupación por el otro y por ti misma».[28]

Las posibilidades de vivir vidas buenas sin que sea a costa de nadie pasan por reinventar la condición de terrícolas, de seres del humus, del suelo. Somos tierra. Muchas personas se organizan y viven haciéndose responsables de ella. Reivindican que la tierra pertenece a quien la trabaja y la cuida, y no a quien le hace daño. Los pueblos originarios, y en especial sus mujeres, defienden el territorio-cuerpo y el territorio-tierra porque, como dice Lorena Cabnal,[29] en las guerras por el control de los pueblos y territorios, los cuerpos han estado amenazados constantemente y se vuelven también un territorio en disputa.

El Movimiento Sin Tierra en Brasil, Ende Gelände en Alemania, los movimientos en defensa de la soberanía alimentaria, de la agroecología y de la ganadería ecológica, las Green Guerrillas, el movimiento en defensa de la agricultura urbana, los movimientos en defensa de la vivienda y contra la especulación urbanística, las mujeres Chipko, el movimiento Cinturón Verde que impulsó Wangari Mathaii, el movimiento ecologista...

Raíces en el asfalto[30]

El huerto urbano es un buen lugar para reconstruir la interdependencia y lo comunitario. Es un espacio de encuentro en la ciudad, como una plaza verde y nutritiva. El huerto como suelo para construir el acuerdo, como escenario de conflicto y de consenso, lugar de encuentro y concierto de intereses diversos, como ágora donde la democracia no es la simple suma de individualidades, sino el fruto de una deliberación casi nunca sencilla.

El huerto urbano es lugar para el reconocimiento y conciencia del propio cuerpo y del esfuerzo. Los callos en las manos, el dolor de riñones, el sudor y el cansancio recuerdan que el trabajo humano es el que ayuda a dejar nacer, a conservar y mantener aquello que la naturaleza reproduce.

Experimentar y temer la lluvia que llega a destiempo, el granizo feroz, la helada tardía; sorprenderse ante la aparición de la fresa rojísima en medio de una mata verde oscura o con el olor intenso de la albahaca; blasfemar al ver las hojas del manzano llenas de bichos que salieron no se sabe de dónde; admirarse de ver la basura transformada en alimento para el suelo… es reaprender, entre hormigón, asfalto y carteles publicitarios, la sorpresa y el misterio de la regeneración de la vida.

Luchar y resistir para que la policía no te desaloje; dialogar y presionar para que el Ayuntamiento te conceda el agua; conseguir que los vecinos confíen más en los que cultivan calabacines en el solar de enfrente que en quienes venden su sanidad o su educación pública... Todas ellas son prácticas políticas que nos convierten en sujetos protagonistas capaces de experimentar el éxito de participar.

El huerto es escenario de rebeldía, de resistencia, de memoria y de futuro.

Todos estos movimientos hunden los pies en la tierra concreta. Unos porque están integrados por personas que nunca fueron desterradas y se niegan a serlo. Otros porque son conscientes de que para poder tener un futuro que no sea distópico hace falta un aterrizaje forzoso en el suelo. Cada valle, cada monte, cada turbera, cada calle, cada plaza, cada barrio importa.

La sostenibilidad pasa por aterrizar en la tierra y reconstruir lazos rotos con ella.

Vista desde fuera, la Tierra es azul. Vista desde dentro, es nuestra casa y hay que defenderla de lo gris.

4
Fuego

Llamamos fuego a la oxidación rápida y violenta de un material. Para que haya fuego es preciso que haya combustible y oxígeno. El Sol es la fuente de luz y calor natural, pero ya hablaremos del Sol en otro momento. El fuego también da luz y calor. En la naturaleza surge de forma esporádica. Su origen está en los rayos, la lava, las cenizas de los volcanes o la acción directa del Sol.

El fuego natural es una de las fuerzas motoras para la evolución de las plantas y el desarrollo de la vegetación en algunos ecosistemas. Hay semillas que duermen en el suelo hasta que el fuego las hace germinar y comunidades arbustivas que se desprenden de sus residuos cada cierto tiempo a través del fuego.

Los homínidos utilizaron conscientemente el fuego desde hace cuatrocientos mil años. Al principio recolectaban brasas que recogían de los incendios provocados por los rayos. Conservaban el fuego añadiendo palitos constantemente. El fuego calentaba, ahuyentaba a los depredadores, hacía comestibles alimentos difícilmente digeribles en crudo y endurecía herramientas y armas. La relación entre humanos y fuego es también la historia de la energía, la de los bosques y la tierra.

Hace diez mil años, los seres humanos se emanciparon de los rayos y aprendieron a encender y controlar el fuego. Un poco más tarde aprendieron a hacerlo más vivo insuflándole oxígeno con fuelles. Cada vez más deprisa, fueron apareciendo los hornos, las forjas, las fundiciones, las centrales térmicas y nucleares… Creo que se puede decir de una forma rigurosa que las revoluciones científica y tecnológica tienen su origen en la capacidad de obtener fuego a voluntad y controlar la combustión.

En *El bosque infinito*, Annie Proulx narra magistralmente cómo sería la historia de los últimos trescientos años si la contaran los árboles.[31] Es una historia de explotación. Después les tocó el turno a los bosques enterrados cientos de millones de años antes. El trabajo acumulado, en este caso de la naturaleza, en forma de petróleo o carbón, fue el motor que posibilitó la acumulación del capital y la irrupción humana –de algunas sociedades humanas– a escala masiva y planetaria en el paisaje y en los equilibrios y ciclos naturales.

El manejo del fuego constituye un tema central de numerosas mitologías. En todas ellas se resalta su papel vital y a la vez letal, transformador y también destructor.

Hestia es la diosa griega vinculada al fuego en los hogares. Proporciona luz, calor, cocina y protección. No solo era responsable del fuego del hogar –la palabra «fuego» procede del latín *focus*, que derivó en fogón, fogata y hogar–, sino también del fuego público, símbolo de la protección, el cuidado, el calor, el abrigo, el alimento y la luz en la ciudad.

Es hija de Cronos y Rea y hermana de Zeus. A pesar de ser una de las principales diosas de la religión griega, pocas veces aparece en los relatos mitológicos. Se cuenta que no tomaba posición en combates y guerras. Formaba parte del consejo de los doce dioses, pero cedió su lugar a Dioniso para que este no se enfrentase con los otros dioses y diosas para conseguir el sillón. Nunca se metía en las disputas entre los dioses y los hombres. Parece que Homero nunca habló de ella. Era una diosa pacífica e invisible.

Criar las brasas

Teodora, que ya murió, se crio en un pueblo al que no llegó la electricidad hasta los años setenta. Su madre murió cuando era niña. Ella y sus dos hermanas se quedaron solas con su padre, un hombre taciturno y hosco que las hizo trabajar como mulas.

Contaba que lo primero que hacía su madre al levantarse era atizar los rescoldos del día anterior y reavivar el fuego. Después iba sacando brasas y las colocaba al lado, en la horna, un hoyo de la chimenea. Allí ponía el cocido –la comida de todos los días– que se iba haciendo lentamente mientras trabajaba en el resto de las tareas, en la casa y en el campo. La madre le enseñaba a Teodora cómo había que hacer para criar brasas. También era una mujer invisible. Se llamaba Perpetua.

Criar las brasas. Una buena manera de llamar a esa tarea cíclica, cotidiana, inacabable que sostiene la civilización y la política de las vidas concretas. Una tarea invisible que no se puede dejar de hacer.

Teodora tenía otro recuerdo muy vivo. El de la escuela del pueblo y del maestro que les enseñó a leer y escribir y las cuatro reglas. Se quedaron pronto sin maestro. Al comienzo de la Guerra Civil, unos falangistas de otro pueblo cercano llegaron un día y le mataron. «No hay derecho». Ochenta años después seguía sintiendo cómo les arrancaron al maestro y con él, las letras, los libros, los números y los conocimientos.

También el maestro criaba brasas que quedaron dentro de Teodora. Muchos años más tarde, cuando ya solo podía mirar hacia dentro y se le despistaban en la memoria los nombres de los hombres y mujeres que había parido, las brasas que el maestro había criado, brotaron. De su memoria desbaratada salieron poesías que el maestro sembró allí y que habían estado latentes, dormidas durante toda su vida. Largas poesías que acudieron a ella cuando el orden de todos los días se esfumó.

Aquellos poemas la acompañaron al final, le dieron calor. El maestro, como su madre, criaba brasas para Teodora.

El fuego puede asfixiar en lugar de inspirar, devorar en lugar de alimentar. La diferencia es solo una cuestión de prioridades, límites, escalas y poder. Y estos los marcan quienes se adueñan del trabajo de las invisibles.

Prometeo robó el fuego a Hefesto, el dios herrero que fabricaba las armas de los dioses, y se lo regaló a los humanos. Vio que todos los animales estaban equipados con plumas, pelo, garras o picos, y que los seres humanos eran frágiles, vulnerables y estaban desnudos. Les enseñó a controlarlo y a manejarlo y los preparó para enfrentarse a los animales y la naturaleza hostil. Los capacitó para declarar la guerra a los dioses y a los límites que imponían.

No lo supieron usar bien.

A pesar de su disgusto, Zeus se compadeció al ver el caos destructivo en el que se habían metido los humanos manejando el fuego sin sabiduría y envió a Hermes, el dios mensajero, con dos virtudes políticas, *aidós* y *diké*, para que se pudiesen organizar sin matarse entre ellos.

Zeus le indicó a su mensajero que les diese de su parte una ley: «Que a quien no sea capaz de participar de *aidós* y *diké*, lo expulsen como una enfermedad de la ciudad».[32]

Aidós es la humildad, el pudor, la conciencia de vulnerabilidad y dependencia, el respeto. *Diké* es el sentido recto de la justicia. Conciencia de vulnerabilidad, inmanencia, de necesitarse unos a otros, y justicia fue lo que Zeus dio a los seres humanos para que no se autodestruyeran.

A la distancia que hay entre quienes cuidan las brasas y los guerreros y mercaderes del fuego podemos llamarla patriarcado. Al abismo que separa el fuego que protege, cuida, alimenta, abriga, calienta e ilumina, del fuego que extrae, reseca, agota, contamina, abrasa y mata, podemos llamarlo capitalismo, colonialismo, explotación y ecocidio. Aunque algunos lo llaman progreso.

Llamamos incendio a un fuego no controlado que puede abrasar algo que no estaba destinado a quemarse. La economía mundializada, desigual y sin límites es un incendio. Por donde pasa –mina, macrogranja porcina, megaurbanización o supercomplejo turístico– no vuelve a crecer la hierba. No tiene como prioridad cuidar, proteger y honrar la vida. Destruye lo pequeño, lo local y aliena toda forma de existencia. Según va extendiéndose, expulsa más trozos de vida. Una parte pequeña de la población usa el fuego contra el resto de la vida. La guerra ya no es una continuación de la política por otros medios. La forma de producir, de consumir, de informar y de vivir es, de facto, una guerra violenta.

En los últimos cincuenta años, la temporada de incendios de Estados Unidos se ha hecho dos meses y medio más larga. Los diez años con más fuegos registrados han transcurrido a partir del año 2000. En 2017, ardió en Groenlandia una superficie diez veces mayor que en 2014; en Suecia en 2018 ardieron los bosques del círculo ártico y hubo un enorme incendio en la frontera entre Rusia y Finlandia.

Fuego en mi valle

Después de cincuenta y cuatro años viviendo en Madrid, me he trasladado a un pueblo en un valle de Cantabria.

Este año he vivido mi primer incendio. Cuenta la gente de aquí que los hay todos los años. Los ganaderos de más edad dicen que siempre se quemaron los pastos para que las cenizas hicieran crecer con más fuerza la hierba en la primavera pero que algunos de los ganaderos más jóvenes, los que han empezado hace poco al calor de las subvenciones, han perdido el conocimiento sobre el control del fuego.

Este año prendieron fuego en múltiples lugares a la vez. Era un día de viento sur. Soplaba fuerte y las llamas se extendieron por todas partes. Las brigadas antiincendios no daban abasto.

Cuando llegó la noche la situación era tremenda. Miraba por la ventana del salón y veía las llamas altas. Se intuía que estaban muy cerca del pueblo. Al meterme en la cama, vi que las llamas también se habían apoderado del monte que veo todos los días al acostarme. No pegué ojo en toda la noche.

Al día siguiente vimos que habían llegado al lado de las casas y todo el mundo hablaba de ello. Sentí una enorme rabia. No solo se habían quemado los pastos, sino que en algunas zonas se había alcanzado el bosque y habían ardido árboles y arbustos.

La gente del pueblo dice que siempre son los mismos quienes prenden fuego, pero son pocas las personas que se atreven a señalarlos. «Hacen lo que les da la gana». La mayor parte de la gente insistía en hacer pagar lo que se había destruido. «No es para tanto, que si le han quemado los árboles de la finca, se los va a pagar la administración», decía un ganadero.

«No», respondieron mis vecinos adolescentes, «aunque te paguen no se arregla el daño hecho a los animales y a las aves». «No son sus dueños. A los que incendian les da igual que el monte, además de pasto, sea la casa de muchos seres vivos». «Esto no se soluciona con dinero».

Fue al escuchar a estos jóvenes, criados en el valle, cuando el humo que salía de los montes, ya sin llamas, empezó a asfixiarme menos.

En Australia en 2019 murieron veintiséis personas y mil millones de animales, sin contar insectos, ranas, peces, murciélagos o invertebrados. Miles de personas tuvieron que abandonar sus casas y ser evacuadas. Son expulsadas y migrantes climáticas del mundo rico.

En 2018 noventa y nueve personas murieron en los incendios de Grecia de aquel verano. Veintiséis de ellas murieron en Mati: tan solo les faltaban treinta metros para llegar al mar, pero no les dio tiempo. Alcanzadas por las llamas solo pudieron poner a las criaturas en el centro y abrazarse alrededor de ellas.

O que arde, la película dirigida por Óliver Laxe en 2019, nos llevó al corazón de esa tierra de roble sólido y de eucaliptos pirófilos, una tierra verde y, a la vez, abrasada. Galicia. Dicen que Galicia no arde, que la queman. Benedicta era la madre que mantenía el fuego del hogar, el huerto, las vacas, el bosque y al hijo que volvía de la cárcel. Benedicta echaba palitos para mantener toda una forma de vida que desaparece, que está amenazada.

El fuego ha borrado la memoria de lugares y paisajes. Los libros, el arte y los registros de muchas culturas han sido arrojados –y lo son aún– a las llamas. Miles de mujeres –ni siquiera las han contado– fueron quemadas en tribunales civiles y religiosos acusadas de brujas, un feminicidio masivo que tuvo el visto bueno de algunos de los pensadores modernos. Los crematorios nazis, el Ku Klux Klan, los incendios en los asentamientos de inmigrantes en Lepe, en los barrios gitanos de Nápoles, en los templos e iglesias de diferentes confesiones... La casa de Reus de la anciana (de la que no supimos el nombre) a la que habían cortado la electricidad, que ardió, con ella dentro, al incendiarse su colchón con la vela que le daba luz.

Incendios. Fuegos que aniquilan vidas que no

tenían que arder. La guerra más terrible es un incendio lanzado desde el cielo.

Santiago Alba Rico, en *Ser o no ser (un cuerpo)*, recoge la descripción que hace Bob Caron, artillero de cola del Enola Gay, el B-29 que lanzó la bomba atómica sobre Hiroshima:

> Una columna de humo asciende rápidamente. Su centro muestra un terrible color rojo. Todo es pura turbulencia. Los incendios se extienden por todas partes como llamas que surgiesen de un enorme lecho de brasas. Comienzo a contar los incendios: uno, dos, tres, cuatro, cinco, seis, catorce, quince... es imposible. Son demasiados para poder contarlos. Aquí llega la forma de hongo de la que nos había hablado el capitán Parsons. Es como una masa de melaza burbujeante. El hongo se extiende. Crece más y más. Está casi a nuestro nivel y sigue ascendiendo. Es muy negro, pero muestra cierto tinte violáceo muy extraño. La base del hongo se parece a una densa niebla atravesada por un lanzallamas. La ciudad debe estar debajo de todo eso.[33]

Sí. La ciudad estaba debajo.

En el momento de la explosión, dice Rafael Poch:

> Se creó una bola de fuego de centenares de miles de grados centígrados. Entre tres y diez segundos

> después de la explosión, esa enorme emisión de calor quemó y destrozó los órganos internos de quienes estuvieron expuestos a ella en el radio de un kilómetro. La onda expansiva de la explosión fue devastadora. Generó un huracán de ciento veinte kilómetros por segundo que llegó hasta once kilómetros de distancia. La onda desnudó a la gente, arrancó las tiras de su piel quemada, fracturó los órganos internos de algunas víctimas y clavó en sus cuerpos fragmentos de vidrios y otros escombros. En un radio de tres kilómetros, el 90 % de los edificios fueron completamente destruidos o se desmoronaron.[34]

Bien entendida, la política es el cuidado de la gente y de lo común que inevitablemente les une. Pero hay quien encuentra humana y bella la guerra.

El fuego, la guerra y el arte

Marinetti, el poeta que inspiró a Mussolini, escribió en 1909 el *Manifiesto Futurista*.[35] En él se decía:

> Queremos cantar el amor al peligro y a la temeridad; afirmamos que la magnificencia del mundo se ha enriquecido con una nueva belleza, la belleza de la velocidad. Un coche de carreras con su capó adornado con gruesos tubos parecidos a serpientes de aliento explosivo… un

automóvil rugiente, es más bello que la Victoria de Samotracia; queremos ensalzar al hombre que lleva el volante, cuya lanza ideal atraviesa la tierra; queremos glorificar la guerra –única higiene del mundo–, el militarismo, el patriotismo, el gesto destructor de los libertarios, las bellas ideas por las cuales se muere y el desprecio de la mujer; queremos destruir los museos, las bibliotecas, las academias de todo tipo, y combatir contra el moralismo, el feminismo y contra toda vileza oportunista y utilitaria; cantaremos al vibrante fervor nocturno de las minas y de las canteras, incendiados por violentas lunas eléctricas; a las estaciones ávidas, devoradoras de serpientes que humean; a las fábricas suspendidas de las nubes por los retorcidos hilos de sus humos; a los puentes semejantes a gimnastas gigantes que husmean el horizonte, y a las locomotoras de pecho amplio, que patalean sobre los rieles, como enormes caballos de acero embridados con tubos, y al vuelo resbaloso de los aeroplanos, cuya hélice flamea al viento como una bandera y parece aplaudir sobre una masa entusiasta. Es desde Italia que lanzamos al mundo este nuestro manifiesto de violencia arrolladora e incendiaria.

A comienzos de 1991, el comandante de un ala de cazabombarderos norteamericanos a su regreso del ataque contra la capital iraquí declaraba: «Era tremendo, Bagdad estaba iluminada como un árbol de Navidad. No se me acababa la adrenalina. Eran muchísimas las bombas que explotaban. Ha sido un despliegue inmenso».[36] El capitán Stephen Tate, piloto de un F-15, describía así el momento de derribar un avión enemigo a cuarenta kilómetros: «Se convirtió en una gran bola de fuego. Fue muy excitante. Me sentí muy bien. Nunca había tenido esta experiencia».

Guernica es la gran obra que representa el horror ante la muerte industrial. Manuel Borja-Villel y Rosario Peiró abordan la cuestión del fuego caído desde el aire, de una forma, a mi juicio, excepcional, en la introducción del libro que acompañó la exposición «Piedad y terror en Picasso» en el Museo Reina Sofía de Madrid:

> Guernica es el Calvario moderno, agonía de las ruinas de la ternura y la fe humanas. Es un gran espejo donde la historia moderna se descubre a sí misma en la máxima expresión de su derrota. Pero no es la derrota del Ejército Rojo o del bando republicano. Es la derrota del proyecto ilustrado. Guernica como testimonio de las pretensiones emancipadoras truncadas.[37]

Explican que en *Guernica* Picasso muestra cómo la reproducción de la vida humana queda expuesta a una amenaza mortal. La escena del cuadro es un cuarto que se derrumba. Las víctimas civiles como protagonistas, las que están en tierra cuando llega el fuego lanzado desde arriba. *Guernica* es un cuadro de mujeres y animales. Las mujeres y los animales son víctimas por igual. Chillan, lloran y estallan en llamas.

En el cuadro de Picasso muere la vida, asesinada por esa máquina de fuego que no es producto de la razón y la ética hermanadas, sino de la barbarie.

El fuego de la velocidad, la acumulación y la guerra contra el fuego del hogar.

Se necesitó más de un millón de años para que los homínidos perdieran el miedo al fuego, medio millón más para aprender a encenderlo, miles de años para aprender a aplicarlo y controlarlo, unos decenios para que quienes creen tenerlo dominado lo quemen todo.

Denunciamos una racionalidad instrumental y contable, pirómana e incendiaria, que planifica, contabiliza y decide sin pisar la tierra, que desatiende y se despreocupa de lo que se quema por el camino.

Queremos, como dice el escritor Nathaniel Rich en el libro *Perdiendo la Tierra*, «llamar a las amenazas del futuro por su nombre; villanos a los villanos; héroes a los héroes; víctimas a las víctimas y cómplices a nosotras mismas».

Queremos llamar política a la voluntad de alimentar hogueras que calientan, nutren, iluminan y protegen.

Queremos que salgan a la luz quienes las mantienen, que disputen el fuego a los parásitos que aprietan botones sin tener ni idea de las consecuencias que tiene su leve movimiento de dedo y también a los asesinos que los aprietan conociéndolas muy bien.

Queremos una ciencia y un conocimiento volcados en aprender a usar el fuego con prudencia, cuidado y justicia.

Queremos compartir con otros y otras la primera línea, no de fuego, sino de vida.

Jorge Riechmann, alguien que lleva decenios cuidando las buenas hogueras, lo dice mucho mejor en su obra *Tránsitos*:

> Me atravesó la línea de fuego.
> Se buscan desertores cotidianos
> de las viejas normas, de las costumbres viejas.
> Se buscan desertores de la violencia, del patriarcado,
> [del cinismo.
> De la resignación. Del juicio empedernido. Del aparejo
> [de humillar
> y del tibio hábito de ser humillado.
> Así canto en voz baja
> la perseverancia admirable del desertor
> al criar a un niño, preparar la comida,
> desplazarse en ciudad o buscar trabajo.
> Canto contra mí mismo, tan cobarde

que no deserto prácticamente nunca.
Me atravesó la línea de fuego.
Alumbradme, desertores de la muerte.[38]

O hacer como los más pequeños que se tapan los ojos y se creen que nadie les ve, o desarrollar estrategias e iniciativas que derriben los muros de lo que, ahora mismo, se considera políticamente factible. Cualquier escala –la casa, el barrio, el pueblo, el sindicato, el museo, la escuela...– es buena.

Podemos esperar a que el sufrimiento sea insoportable o anticipar, prevenir, autolimitarnos, defendernos y construir. Nadie espera a que el bebé que gatea meta los dedos en el enchufe para decirle luego que eso no se hace. Cuidar es velar para que lo que no tiene que arder, no arda.

Il Vesuvio universale es el título de un libro escrito por Maria Pace Ottieri.[39] El Vesubio es el volcán más peligroso del mundo porque no hay ningún otro en el que viva tanta gente alrededor. Entre 1631 y 1944, ha hecho erupción cuarenta y nueve veces. Se sabe que algún día volverá a hacerlo. Es imposible saber cuándo o con qué violencia.

Se ha definido un plan de evacuación que se va actualizando y que involucra a casi trescientos ayuntamientos de la región de Campania. En las zonas que se verían más afectadas por una futurible erupción, las que estarían afectadas por nubes ardientes y caída de materiales sólidos del Vesubio, viven seiscientas ochenta mil personas (veinticinco municipios y tres barrios de Nápoles), mientras que en la de los Campos Flégreos residen quinientas mil personas (siete municipios y once barrios de Nápoles). Estas dos zonas son las más peligrosas y tendrían que ser evacuadas en caso de crisis volcánica.

Ottieri calcula que para evacuar a las seiscientas ochenta mil personas de la zona roja del Vesubio se precisarían trescientos sesenta mil coches, más trescientos autobuses que tendrían que hacer ocho mil viajes de ida y vuelta para llevarse a quienes carecieran de medio propio. Todo ese tráfico ocasionaría un atasco de casi mil quinientos kilómetros en la única carretera circular. Los modelos de simulación que reseña Ottieri ofrecen proyecciones catastróficas: apenas en un cuarto de hora un millón de personas perdería la vida. Una tragedia colosal.

La paradoja es que solo un 7 % de los habitantes alrededor del Vesubio se sienten en peligro. Se exaltan las maravillosas vistas o la fertilidad del suelo. En caso de que haya señales de erupción, en algún momento habrá que decidir la puesta en marcha del plan de evacuación. ¿Cuánto se esperará? ¿Cuántas cenizas, humo o magma tendrá que arrojar para dar la voz de alarma?

La pregunta clave es por qué no se puede concebir lo que es inevitable. Por qué se espera a que suceda. Probablemente la gente esté más agobiada con el paro, la pandemia o la mafia...

Ottieri establece con su reflexión sobre el Vesubio una muy buena metáfora del capitalismo. Se sabe que acabará mal para muchos, que destruirá las condiciones básicas de vida, que lo incendiará todo.

Pero se espera, mientras mucha gente observa fascinada la traca final.

Cuenta Eduardo Galeano que «un hombre del pueblo de Neguá, en la costa de Colombia, pudo subir al alto cielo. A la vuelta, contó. Dijo que había contemplado, desde allá arriba, la vida. Y dijo que somos un mar de fueguitos. El mundo es eso –reveló–. Un montón de gente, un mar de fueguitos».[40]

Y es que la pasión política, el amor por la vida y por la gente, es también fuego.

5
VIDA

Podemos señalar más o menos con facilidad algo que está vivo, pero no es tan sencillo definir la vida. El agua, el aire, la tierra y el fuego son parte de la vida y la constituyen, pero no son vida.

Mirada desde nuestro ombligo, la vida es el período que transcurre entre el nacimiento y la muerte. Mirada en su conjunto, es una tremenda e increíble rareza que dura ya unos 3 800 millones de años.

Humberto Maturana y Francisco Varela, en su libro *De máquinas y seres vivos*,[41] dicen que podemos saber que algo está vivo cuando es capaz de crear, reparar, mantener y modificar su propia estructura tomando sustancias del medio y expulsando lo que le sobra. Esa característica recibe el nombre de autopoiesis, que quiere decir autoproducción. La autopoiesis es la propiedad básica y distintiva de los seres vivos. Cuando no la cumplen es porque están muertos.

Los primeros en aparecer en la Tierra fueron los microorganismos anaerobios, que no necesitaban oxígeno. Unos mil millones de años después, surgieron las cianobacterias que tenían la capacidad de utilizar la luz del sol para su nutrición y producían como residuo el oxígeno. Poco a poco, estas bacterias fueron cambiando la composición del aire, el agua y la tierra.

La biota –conjunto de los seres vivos– fue creando las condiciones adecuadas para que se dé la vida en la Tierra tal y como la conocemos hoy. Coevoluciona y regula el ambiente. Con estas premisas, James Lovelock y Lynn Margulis formularon la hipótesis Gaia. A partir de ella, ambos pusieron de manifiesto que lo que la ciencia solía tratar por separado, los seres vivos, los océanos, la atmósfera, el clima, los suelos…, formaba una realidad indivisible.

La vida en su conjunto es un sistema complejo que se autoconstruye y autorregula a partir de intercambios químicos y señales térmicas. Juntos, dice Carlos de Castro, el ambiente y los seres vivos, componen un sistema global que funciona como una entidad viva.[42]

Gaia sería el sistema ecológico global que funciona orgánicamente, integrando a los seres vivientes, las relaciones entre ellos y de ellos con la tierra, el agua y el aire, a partir del «fuego» del Sol.

Se autorregula mediante una serie de complejos ciclos interdependientes entre sí –agua, carbono, fósforo, nitrógeno…– que funcionan con diferentes ritmos (desde segundos a millones de años) y a diferentes escalas espaciales (microscópicas, regionales o globales).

El Sol es el motor de la vida. Es una estrella que se formó hace aproximadamente 4 600 millones de años. Técnicamente, es una enana amarilla, y seguirá siéndolo más o menos otros 5 000 millones más. Después, se convertirá en una gigante roja y engullirá las órbitas actuales de Mercurio, Venus y la Tierra.

La Tierra y la vida giran alrededor del Sol. Este movimiento organiza el tiempo y el calendario de los seres vivos. Su energía sustenta a casi todas las formas de vida concretas y hace que funcione el sistema en su conjunto. Si el Sol es la energía, la fotosíntesis es la tecnología básica de lo vivo.

Poemas a la fotosíntesis

A mí, me maravilla la fotosíntesis. Es alucinante que, en aquella sopa primigenia de células en interacción, de repente, algunas comenzasen a convertir la luz del sol y los minerales muertos en un cuerpo vivo, a la vez que expulsaban, como residuo, el oxígeno a la atmósfera.

Yo, atea, me imagino así la química de la resurrección. En un suelo, la materia orgánica procedente de seres vivos muertos es convertida por los microorganismos en minerales inertes. Y las plantas que fotosintetizan vuelven a convertir lo muerto en cuerpo vivo… Faltan, me parece a mí, muchos poemas sobre la fotosíntesis.

La vida se organiza en red. Los productores primarios fabrican su propio cuerpo, que sirve de alimento a los seres herbívoros, y que a su vez, son la comida de los carnívoros. Los descomponedores se nutren de la muerte de todos los anteriores. Las relaciones entre productores, consumidores (herbívoros y carnívoros) y descomponedores regulan los ciclos en los que se recicla la materia. Y van transfiriendo de unos a otros la energía del Sol, que solo puede ser capturada por los productores primarios. En cada traspaso de energía, se pierde la mayor parte de la misma.

Todos, absolutamente todos los seres son comidos, vivos o muertos, por otros seres vivos. Podemos estar seguros de que cada partícula que compone la materia de nuestro cuerpo fue antes flor, piedra, arado, lápiz, escarabajo, cañón o mariposa.

Nos cuenta Lynn Margulis que la vida no conquistó el planeta mediante combates, sino gracias a la cooperación. Las formas de vida se multiplicaron e hicieron más complejas asociándose a otras, no matándolas.[43] Las células eucariotas –las células más complejas– se formaron a partir de la unión simbiótica entre células procariotas. Los animales y plantas estamos compuestos de células eucariotas, así que, si no se hubiese dado esa unión, la vida probablemente estaría formada solo por un conglomerado de bacterias.

Lynn Margulis formuló la teoría de la simbiogénesis, que defiende que son las relaciones simbióticas, en mayor medida que las mutaciones genéticas al azar, las responsables de los mayores cambios evolutivos.

La cooperación ha sido una estrategia adaptativa también para muchas especies. Aves que comparten, licaones que cuidan de la prole en común, vampiros de Azara que se donan sangre, palomas torcaces que cazan en bandadas, bonobos que se organizan en sociedades matriarcales pacíficas y usan el sexo para resolver conflictos, aves que se alimentan de los parásitos de algunos mamíferos...

Nosotros mismos, los humanos, estamos habitados por millones de bacterias que cooperan con nosotros. En el trayecto que va desde la boca hasta el ano, en la piel, la nariz, los oídos, la vejiga, los conductos urinarios y en la vagina, viven microorganismos que nos echan una mano con la digestión y otras funciones vitales. A cambio, nuestro cuerpo les proporciona hábitat y alimento.

Por supuesto que en la naturaleza se dan relaciones de competencia y lucha encarnizada, pero las relaciones de simbiosis y cooperación son centrales para que la vida se mantenga. Si la literatura científica ha destacado tanto lo de la supervivencia del más fuerte, probablemente ha sido porque son interpretaciones que encajan mejor con una organización social que naturaliza y legitima la competencia y la explotación de todo lo vivo por parte de quien más poder tiene. Quizás, también por eso las redes tróficas hayan sido dibujadas en forma de pirámide, con el ser humano en la cúspide, y no en forma de red.

Le preguntaban a Lynn Margulis en una ocasión por qué la simbiogénesis generaba tantas resistencias. Ella contestó riendo que, a muchos, pensar la evolución en términos de cooperación les resultaba «excesivamente» femenino.

Entre la estructura y la sorpresa

La diversidad es otro pilar de lo vivo. Hay seres unicelulares y otros formados por millones de células interdependientes; los hay que fabrican su propio alimento, mientras que otros lo consiguen en el entorno: pueden respirar oxígeno o envenenarse con él. Unos vuelan, nadan, saltan, van en silla de ruedas o caminan y otros no se mueven del sitio en el que nacen. Unos se reproducen mediante el sexo y otros no... La biodiversidad es casi inabarcable a escala humana.

Las condiciones vitales se ven constantemente perturbadas por múltiples variables. El proceso que hace que los seres vivos y las relaciones entre ellos y con el medio se mantengan más o menos constantes, se llama homeostasis. Existen mecanismos de realimentación negativa que detectan las perturbaciones y actúan minimizando y amortiguando los cambios, de forma que el conjunto se estabilice volviendo a su situación de equilibrio inicial. Los mares y océanos, por ejemplo, absorben la mayor parte del exceso de calor y la mayor parte del dióxido de carbono procedente de la combustión de las energías fósiles, «tratando» de reestablecer los equilibrios climáticos previos y aminorando la tendencia al calentamiento que causaba la concentración mayor de gases de efecto invernadero.

Sin embargo, si la perturbación es muy grande, los mecanismos de realimentación negativa dejan de funcionar y se disparan otros de realimentación positiva, que agrandan los efectos de la perturbación, alejando mucho más el conjunto del sistema del equilibrio. Un ejemplo son las emisiones de metano que deja escapar el permafrost cuando se descongela a causa del calentamiento global, que aumentan la concentración de gases de efecto invernadero y amplifican el calentamiento.

Cuando las perturbaciones sobrepasan un cierto umbral, pueden originarse una serie de cambios drásticos y en cadena, que, a partir de cierto momento, denominado punto de bifurcación, conducen a la desorganización y colapso del equilibrio inicial y a la configuración de una nueva situación impredecible, en la que el azar determina el resultado final.

Un doctor norteamericano, Stuart Kaufmann, dice por ello que «la vida es un compromiso entre la estructura y la sorpresa».[44] Lo de sorpresa siempre suena sugerente, pero cuando nos estamos refiriendo a forzar el cambio de las variables biofísicas a la que nuestra especie está adaptada, la novedad resulta inquietante.

La vida que prosperó y se ha mantenido en la Tierra durante los últimos miles de millones de años es solar, cíclica, diversa, interconectada y cooperativa.

Los seres humanos somos unos recién llegados a esta aventura planetaria. Cada especie suele durar, de media, unos cinco millones de años y luego desaparece. La nuestra lleva en Gaia unos doscientos mil y vamos a tener que realizar importantes esfuerzos para alcanzar la esperanza de vida media de otras especies.

La civilización industrial es energívora, petrodependiente, vertiginosa, extractivista, homogeneizadora, generadora de residuos inabarcables y competitiva. La cultura capitalista ha construido una «normalidad» que se da de bruces con la realidad que sostiene la vida. La economía hegemónica es ecológicamente analfabeta y las subjetividades e imaginarios que promueve discurren divorciados de la realidad material del planeta. A las personas que vivimos dentro de la burbuja del progreso se nos ha olvidado que somos una especie viva.

Aunque la ciencia nos explica que el universo, la naturaleza y nuestros cuerpos no se comportan como el gran reloj que enunció Newton a finales del siglo XVII, nuestra civilización sigue actuando como si los territorios fuesen solo almacenes y vertederos a disposición de la parte privilegiada de la humanidad, como si las vacas fuesen máquinas que convierten la hierba en carne, los ríos fueran tuberías de agua y la gente mano de obra. Miramos la naturaleza desde arriba y desde fuera, como si fuese una máquina inerte y previsible que manejamos a nuestro antojo.

Mecánica y fisiología

Hace unos años yo trabajaba en una institución que tenía tres centros educativos. En el patio de uno de los colegios, en la zona en la que jugaba el alumnado de infantil –de entre tres y cinco años–, había un pino de más de cincuenta años.

A algo menos de un metro de altura, el pino se bifurcaba en dos grandes ramas. Dibujaba una gran uve y arriba de cada una de las ramas se extendía la copa.

El árbol, de repente empezó a exudar un líquido pringoso y justo en el vértice de la uve, en la parte interior, empezó a aparecer una grieta. La directora del centro, preocupada, consultó con algunos jardineros, que certificaron que el árbol corría el riesgo de colapsar y caerse. Se tomó la decisión de talarlo.

Al saberse, unas cuantas familias se organizaron para tratar de impedir la tala. Algunos de los padres y madres habían ido al mismo colegio y habían trepado por las mismas ramas por las que ahora subían sus hijas y querían salvarlo a toda costa.

Se armó tanto revuelo que decidimos volver a hacer alguna consulta. Pedí ayuda a un gran sabio de la jardinería con muchos años de experiencia y a una amiga que trabaja en el ayuntamiento de un municipio de Madrid, cuidando precisamente del arbolado.

Organizamos una visita alrededor del pino y el jardinero y mi amiga, la que cuida de los árboles, nos fueron explicando, dónde era visible la muerte inminente de nuestro pino. «Toca aquí», «mira esta hendidura», «esto son hongos»... Nos fueron enseñando a mirar aquel cuerpo, a comprender sus heridas, a entender sus señales.

Un rato después nos reuníamos con tres de las familias, que venían a ofrecernos soluciones para mantener el árbol en pie. Uno de los padres, un hombre colaborador y maravilloso, puso elocuentemente un libro gordísimo encima de la mesa. «Soy arquitecto. Se puede mantener el árbol en pie y no es muy difícil ni costoso. Me he traído un manual de estructuras para que veáis el tipo de anclajes que se pueden instalar». Otra madre nos hablaba de tratar de evitar el dolor de los niños y las niñas ante la tala del árbol.

Nosotras, que habíamos visto y tocado las heridas del pino, les hablamos de la muerte como parte de la vida. De la generosidad que hay que tener para dejar ir a aquella vida que queremos y que muere. Les hablamos de cómo, las personas más pequeñas deben aprender ese respeto y el inevitable hecho de que cada ser termina muriendo, y que sus cuerpos vuelven a formar parte de la trama de la vida de otra forma.

Les compartimos lo que acabábamos de aprender: que una cosa es la ingeniería y las estructuras, y otra el funcionamiento de lo vivo. No dudábamos de que un cálculo preciso y unos materiales adecuados podían mantener el árbol en pie. Les preguntamos si evitar el dolor de las niñas ante el vacío en el patio del colegio, justificaba obligar al pino a permanecer de pie muerto, anclado, apuntalado...

Las familias lo entendieron bien y junto al profesorado ayudaron a que los más pequeños se despidieran de su árbol.

Hoy queda un tocón al que todos los días se suben y bajan un montón de críos. Casi cada día hay que curar alguna rodilla despellejada por algún aterrizaje imperfecto al saltar.

Justo al lado hemos plantado otro pino. Dentro de cincuenta años quienes estudien allí tendrán un árbol al que trepar en el patio, y al lado un tocón, la memoria de otro ser que años atrás, o sea, hoy, nos enseñó a distinguir entre mecánica y fisiología.

Se pregona que la libertad llega después de superar el reino de la necesidad, pero la necesidad en los seres autopoiéticos y necesitados de cuidados no se supera nunca. Tenemos que aprender a vivir libres sabiéndonos inherentemente eco e interdependientes.

El progreso, sin embargo, se ha construido sobre la fantasía del despegue prometeico de la naturaleza y de los cuerpos. La negación de nuestra condición de seres de la tierra, vulnerables, y uno a uno finitos, es solo una gran ilusión que termina modificando irreversiblemente el ambiente del que depende su propia supervivencia.

La intrusión de Gaia

Después de aplicar durante décadas a la naturaleza viva la lógica de las cosas muertas, chocamos contra la realidad material. Calentamiento global, pérdida de biodiversidad, superación de la biocapacidad de la tierra, contaminación de suelos, aire y agua, zoonosis, proliferación de enfermedades, pandemias, desigualdades, feminicidios, explotación, expulsiones... El desarrollo en carne viva.[45]

Después de un par de siglos, y sobre todo durante los últimos decenios, actuando como si la organización material de la vida humana flotase por encima de la tierra y de los cuerpos, se produce un fuerte encontronazo entre lo geopolítico y lo geofísico y se desmorona la base fundamental de la episteme moderna: la falsa distinción entre el orden de lo natural y el de los seres humanos. Isabelle Stengers se refiere a este momento como «la intrusión de Gaia».

Todo cambia, aunque no queramos verlo, a partir de que la emergencia planetaria emerja como sujeto histórico, sin intencionalidad ni finalidad, pero con agencia, interviniendo en todo lo político. Si bien no tiene sentido politizar la ecología, es imprescindible ecologizar la política. Siempre debió ser así. Si los seres de la tierra desconectados de la misma tierra organizan el aire, el agua o el resto de la vida, lo desbaratan todo.

La justicia o el derecho ya no se pueden pensar sin tener en cuenta la irreversible intrusión de Gaia. La mayor habilidad de los negacionistas con poder es hacer creer a la gente que no existe. Mientras, se adaptan ventajosamente a lo que está por venir, desahuciando enormes jirones de vida, también humana.

Quienes soñamos con que mañana sea un mundo habitable para todas tenemos el reto de no eludir esa realidad y tratar incansablemente de salvar la distancia brutal que hay hoy entre el conocimiento científico y la impotencia política.

Se llama magufos a quienes propagan discursos contrarios a la ciencia que no pueden demostrar su validez. Creo que muchas de las visiones de la economía convencional son puras «magufadas». La economía se ha convertido en una verdadera religión civil que exige sacrificios humanos, vegetales, animales y minerales y niega el futuro a la mayor parte de los seres humanos. La vida empezó en una sopa primigenia, pero como dice José Manuel Naredo, una economía que ha cortado el cordón umbilical con la tierra, la convierte prematuramente en un puré crepuscular.

En psiquiatría y psicología, el delirio es una creencia que se vive con una profunda convicción a pesar de que la evidencia demuestre lo contrario. Creo que se puede decir que la economía convencional es un delirio. Se empecina en crecer indefinidamente sobre una base física que tiene límites. Apostata de la ciencia. No recula ni reconoce fracaso, a pesar de que está causando un ecocidio vertiginoso y no ha podido cumplir sus propias promesas de bienestar generalizado. Es un delirio en guerra con la vida.

No hay ningún organismo vivo en estado libre que no dependa de otros y de su entorno. Son muy pocos los que pueden vivir con el privilegio de ignorarlo, pero este sujeto termina erigiéndose como sujeto universal y tiene el poder de definir la economía, la política, la cultura...

Son mayoritariamente mujeres –no por esencia, sino por imposición–, otros territorios, otros pueblos y otras especies, el conjunto de la vida, en definitiva, quienes soportan las consecuencias ecológicas, sociales y cotidianas de esa supuesta independencia.

No nos encontramos ante el suicidio de la humanidad, sino ante el asesinato de mucha vida a manos de una parte de la humanidad. No es más que una forma de parasitismo que estruja otras vidas, el suelo, el agua y el aire, concibiéndolos como algo exterior, subordinado e instrumental, que violenta la naturaleza, violenta nuestro cuerpo y el de otros. La violencia es el negativo de la ternura.

Hemos escuchado mucho en estos tiempos de pandemia que la especie humana es lo peor, que es una plaga, un virus. Yo no lo creo. Los seres humanos son capaces de lo peor y de lo mejor. Guerrean, pero también cooperan. Inventaron la bomba atómica pero también la música, la poesía y, a veces, hacen de las caricias un arte.

No somos cada uno de nosotros las células cancerosas: es el comportamiento colectivo que ha generado una civilización patriarcal, capitalista y colonial, el que ha resultado ecocida e injusta. Es verdad que todas las personas tenemos responsabilidad –y por tanto capacidad de cambiar–, pero son responsabilidades asimétricas. Como decía Silvio Rodríguez, la orden de fuego la dan disidentes de la gente, del sueño y de la vida que no sea virtual.[46]

La vida es una cuestión de relaciones. En *La edad de la empatía*,[47] Frans de Waal dice que, salvo un pequeño porcentaje de psicópatas, nadie es emocionalmente inmune al estado de otras personas. La selección natural diseñó nuestro cerebro para que estemos en sintonía con otros cerebros, nos disguste su disgusto y nos complazca su placer. Empatía con todo lo vivo. Con frecuencia nos dicen: «Preferís los animales a las personas». De verdad, no es incompatible querer a las personas y también a los animales, a las espigas, a los montes, a los árboles y al agua…

Sé que el conocimiento, el sabernos vida, no tiene por qué desembocar necesariamente en acción. Igual que tener experiencia de clase no genera automáticamente conciencia de clase, el sabernos parte de una red viva, en sí mismo, no genera conciencia de especie o de pertenencia a la tierra. Pero, sin ser condición suficiente, creo que es condición necesaria. El analfabetismo ecológico, más intenso cuanto más especializada es la formación, es un enorme obstáculo para recomponer lazos rotos con la naturaleza y entre las personas.

Cualquier persona debería tener el derecho y la obligación de conocer qué es lo que le permite existir: el Sol como motor de la vida, los bosques como pulmones del planeta y bibliotecas de diversidad, la fotosíntesis como «tecnología» central para la existencia, las bacterias... La autoorganización y la cooperación como estrategias de adaptación y supervivencia, el funcionamiento cíclico en red en todo lo vivo, la existencia de límites, el trabajo de cuidados como una cuestión imprescindible que exige corresponsabilidad.

Enfrentar la crisis ecosocial va a exigir que superemos la fantasía de la individualidad y estimulemos una imaginación bien asentada en la tierra y en los cuerpos y sus necesidades. Una imaginación que nos permita mirar el capitalismo desde fuera, aunque estemos dentro. Este «afuera» puede ser Gaia, como un punto excéntrico desde el que torcer el brazo del dinero. Desde ahí podemos construir una Nueva Cultura de la Tierra.

Como recuerda el antropólogo Eduardo Viveiros de Castro, podemos aprender también de los pueblos que nunca fueron modernos porque nunca tuvieron una naturaleza externa y ajena y por tanto no la perdieron ni necesitaron librarse de ella. Esto exigirá estimular pedagogías, racionalidades y emociones que favorezcan relaciones simbióticas centradas en la suficiencia y el reparto, que hagan de lo común y del cuidado un principio político y que involucren a todas las personas, tanto en el terreno de los derechos como en el de las obligaciones. Algo parecido a la razón poética de María Zambrano.

La clave es construir comunidad con conciencia de clase y de especie y sentido de pertenencia a la vida. A fin de cuentas, como dice Galeano,

> venimos de un huevo más chico que una cabeza de alfiler, y habitamos una piedra cubierta de agua y rodeada por aire que gira en torno al fuego de una estrella enana amarilla. Hemos sido hechos de luz, de tierra, además de carbono, hidrógeno y mierda y muerte y otras cosas, y al fin y al cabo estamos aquí desde que la belleza del universo necesitó que alguien la viera.[48]

Notas

1. De estas cuestiones nos ocupamos ampliamente en el libro *Petróleo* (Arcadia, 2018), cuya autoría comparto con Jorge Riechmann y Emilio Santiago Muiño.
2. El informe «Consecuencias del cambio climático sobre la disponibilidad de agua en España, tras la firma del Acuerdo de París», elaborado por Ecologistas en Acción, se puede consultar en file:///tmp/mozilla_yayezo/informe-agua-cc-2016.pdf
3. Gemma Barricarte (2019) «Metamorfosis en tiempos de emergencia», disponible en https://ctxt.es/es/20190918/Firmas/28359/Gemma-Barricarte-tribuna-cambio-climatico-huelga-manifestaciones-ecologismo.htm
4. Maria J. Stephan y Erica Chenoweth (2008), «Why Civil Resistance Works. The Strategic Logic of Nonviolent Conflict», disponible en https://www.belfercenter.org/sites/default/files/legacy/files/IS3301_pp007-044_Stephan_Chenoweth.pdf
5. Jerónimo Andreu y Lidia Jiménez, «Víctimas del oro rojo», *El País*, 13 de junio de 2010, disponible en

https://elpais.com/diario/2010/06/13/domingo/1276401156_850215.html
6. Gustavo Duch (2011), «Pepinos: riesgos para muchos, beneficios para pocos», publicado en su blog personal *Palabre-Ando*, disponible en https://gustavoduch.wordpress.com/2011/06/01/pepinos-riesgos-para-muchos-beneficios-para-pocos/
7. Robin Wall Kimmerer, *Braiding Sweetgrass* (2020); *Una trenza de hierba sagrada. Sabiduría indígena, conocimiento científico y la enseñanza de las plantas*. Madrid: Capitán Swing, 2021.
8. Véase http://www.politicasalvaje.cl/2020/03/17/mujeres-de-zona-de-sacrificio-en-resistencia-nuestra-historia-y-caminos-recorridos/
9. «La historia de los hombres verdes. Su lenta y dolorosa muerte», disponible en https://labahiaonline.cl/la-historia-de-los-hombres-verdes-su-lenta-y-dolorosa-muerte/ publicado el 13 de septiembre de 2018.
10. En este documental, dirigido por Luis López Carrasco, se recogen los testimonios de más de cuarenta personas procedentes de los barrios de Cartagena y La Unión (Murcia) sobre la crisis económica, el sindicalismo, la tristeza y la falta de memoria.
11. José Rocamora, «Peñarroya cierra la última fundición de plomo en España», *El País*, 2 de abril de 1992, disponible en https://elpais.com/diario/1992/04/02/economia/702165614_850215.html
12. Esta sentencia, sin duda fundamental para la visibilización y reconocimiento del trabajo de cuidados, ha

sido analizada por la jueza española Gloria Poyatos. Se puede profundizar en ella en el artículo «La justicia y el amianto», de Gloria Poyatos y Carmen Diego, en la revista *Archivos de Bronconeumología*, vol. 53, núm. 1, enero de 2017, pp. 5-6. Disponible en https://www.archbronconeumol.org/es-la-justicia-el-amianto-articulo-S0300289616300059

13. Margaret Atwood. *The Handmaid's Tale* (1985); *El cuento de la criada*. Barcelona: Ediciones Salamandra, 2017.

14. Véase https://www.ecologistasenaccion.org/146093/

15. Julio Díaz y Cristina Linares, del Grupo de Investigación en Salud y Medio Ambiente Urbano, hacen un trabajo ingente en la pedagogía e información clara y precisa sobre, entre otras cosas, la incidencia del uso masivo del coche y las olas de calor en la salud. Acudir a sus informes es encontrar información rigurosa y analizada sin medias tintas.

16. Véase www.juliaschulzdornburg.com/cas/cadaveres-inmobiliarios-base-de-datos-post-burbuja?page_id=1208

17. Vicenç Fisas, *Matar de hambre*. Barcelona: Icaria, 2020.

18. Sebastian Haffner, *The Meaning of Hitler* (1978); *Anotaciones sobre Hitler*. Barcelona: Galaxia Gutenberg, 2002, p.100.

19. *Ibidem*, p. 101.

20. Naomi Klein, *This Changes Everything* (2015);

Esto lo cambia todo. El capitalismo contra el clima. Barcelona: Paidós, 2015.

21. La declaración de Ken Saro-Wiwa se puede consultar en https://solidaridad.net/ken-saro-wiwa-un-testimonio-de-lucha-y-esperanza/

22. Se puede consultar en https://www.xataka.com/espacio/elon-musk-publica-los-detalles-de-su-plan-para-enviar-al-hombre-a-marte

23. Todos estos cálculos se pueden consultar en https://computerhoy.com/reportajes/life/cuanto-cuesta-enviar-astronauta-al-espacio-579211

24. Véase https://invdes.com.mx/ciencia-ms/cuanto-combustible-gasta-un-cohete-en-un-despegue-al-espacio/

25. Véase https://www.xataka.com/espacio/viviremos-en-marte-en-2050-estas-son-las-fechas-de-la-exploracion-del-planeta-rojo

26. Véase la síntesis de la presentación del libro de Amador Fernández Savater *Habitar y gobernar. Inspiraciones para una nueva concepción política*, editado por Ned Ediciones en 2020 y presentado en el Círculo de Bellas Artes de Madrid el 26 de enero de 2021.

27. Gabriel García Márquez, *Del amor y otros demonios*. Barcelona: Debolsillo, 2005.

28. https://ctxt.es/es/20200801/Politica/32991/Amanda-Andrades-entrevista--Ana-Carrasco-Conde-filosofia-mal-coronavirus-feminismo.htm

29. Lorena Cabnal es feminista comunitaria territorial, originaria de Guatemala y miembro del pueblo

indígena maya q'eqchi y xinka. Véase https://avispa.org/lorena-cabnal-sanar-y-defender-el-territorio-cuerpo-tierra/

30. *Raíces en el asfalto* es el título de un libro de Nerea Morán y Kois Fernández Casadevante que se adentra en la historia de la agricultura urbana. Kois Fernández-Casadevante y Nerea Morán, *Raíces en el asfalto. Pasado, presente y futuro de la agricultura urbana*. Madrid: Libros en Acción, 2015.

31. Annie Proulx, *El bosque infinito*. Barcelona: Tusquets Editores, 2016.

32. En *La aventura de pensar*, de Fernando Savater, se recoge este mito y se desarrolla en profundidad. Disponible en https://es.scribd.com/doc/40354589/AIDOS-DIKE-Y-KRATOS

33. Santiago Alba Rico, *Ser o no ser (un cuerpo)*. Barcelona: Seix Barral, 2017, p. 217.

34. Rafael Poch, «Hiroshima, La lección que la humanidad no aprendió», *La Vanguardia*, agosto de 2005, disponible en https://www.lainsignia.org/2005/agosto/int_007.htm

35. Se puede consultar en https://aquileana.wordpress.com/2007/12/27/futurismo/

36. https://elpais.com/diario/1991/01/18/internacional/664153231_850215.html

37. Véase https://www.museoreinasofia.es/exposiciones/piedad-terror-picasso

38. Jorge Riechmann, *Tránsitos*. Ayamonte: Crecida, 2017.

39. Maria Pace Ottieri, *Il Vesuvio Universale*. Torino: Einaudi, 2018.
40. Eduardo Galeano, *El libro de los abrazos*. Madrid, Siglo XXI, 1998.
41. Humberto Maturana y Francisco J. Varela, *De máquinas y seres vivos*. Barcelona: Lumen, 1972.
42. Carlos de Castro, *El origen de Gaia*. Madrid: Libros en Acción, 2020.
43. Lynn Margulis, *Symbiotic Planet* (1998); *Planeta simbiótico. Un nuevo punto de vista sobre la evolución*. Madrid: Debate, 2002.
44. Stuart Kauffman, *At Home in the Universe*. Oxford: Oxford University Press, 1995, p. 15.
45. «Soy el desarrollo en carne viva» es un verso de la canción «Latinoamérica» de Calle 13, grupo musical originario de Puerto Rico dedicado al rap fusión.
46. Este verso se incluye en la canción «Sinuhé», del álbum *Cita con los Ángeles*, de Silvio Rodríguez.
47. Frans De Waal, *The Age of Empathy* (2009); *La edad de la empatía*. Barcelona: Tusquets Editores, 2013.
48. Eduardo Galeano, *Las palabras andantes*. Madrid: Siglo XXI, 1993, p. 304.

Agradecimientos. A modo de cierre

Los cinco elementos tiene una deuda contraída con Miguel Mora, director de la revista electrónica *Contexto* (ctxt.es). En junio de 2020, al inicio del verano pandémico, me propuso hacer una serie de cinco artículos que serían publicados a lo largo de agosto, uno por semana.

Yo me paré un momento y, más bien pensando en voz alta, me pregunté por el tema. «Lo que tú quieras», me dijo Miguel. «Ponle un título genérico, por ejemplo “Los cinco elementos”». Y yo lo vi al instante. Agua, aire, tierra, fuego... Todos ellos esenciales para la vida. Todos ellos desbaratados y desordenados en estos tiempos de crisis civilizatoria. Y un quinto elemento, la propia vida. Ese milagro que lleva durando miles de millones de años. Probablemente el proyecto más exitoso que haya existido y del que cada persona, y toda la especie humana en su conjunto, formamos parte.

Así que fui escribiendo los artículos y fui redescubriendo cuánto me gusta hacerlo así, por placer, leyendo y aprendiendo a la vez que escribía. Tuve la oportunidad de combinar todo lo que más me gusta: la ecología, la mitología, las palabras, la economía, la antropología, la política y mis propias experiencias o las de otras personas queridas.

Tengo que dar las gracias a Miguel por aquella propuesta y a todo el equipo de *CTXT* por editarlos y ayudarme a mejorar los textos. La verdad es que, para mí, formar parte de este proyecto es un regalo.

Un par de meses después de que hubiesen sido publicados, Montse Ingla y Toni Munné, los editores de Arcadia, me propusieron hacer un libro basado en los artículos. Convinimos los tres que merecía la pena tratar de enriquecerlos con algunas miradas e historias más personales u otras reflexiones que había ido publicando aquí y allá.

Yo atendí las muchas y valiosas sugerencias de Montse y Toni y, por tanto, creo que este libro es el resultado de un esfuerzo colectivo. Estoy encantada y agradecida por todo lo que he aprendido de ambos.

Índice

Introducción. En guerra contra la vida..... 9

1. Agua 19
Juntas sí que podemos................ 27
Olas muertas en el Mar Menor 31
El oro rojo 37
2. Aire.............................. 45
Mi abuela me dio las palabras.......... 49
Los hombres verdes 53
Los monstruos que habitan
la normalidad 57
La negación de los colores de Van Gogh 61
«No puedo respirar»................. 64
3. Tierra 67
Llamamos suelo a lo que pisamos 68
Ken Saro-Wiwa, deseoso de preservar
el derecho a la vida decente........... 77
Memoria biocultural 89
Raíces en el asfalto 92

4. Fuego 93
Criar las brasas 98
Fuego en mi valle. 101
El fuego, la guerra y el arte. 106
5. Vida. 115
Poemas a la fotosíntesis 117
Mecánica y fisiología 124

Notas 133

Agradecimientos. A modo de cierre 139

GREEN LANTERNS
GHOSTS
OF THE PAST
VOL.
8